Nouveau
Cahier du jour
Cahier du soir

C

Français

Auteur : **Michel Wormser**, *Professeur des écoles*
Directeur de collection : **Bernard Séménadisse**, *Maître formateur*

Ce cahier appartient à :
Emile Harvie

MAGNARD

Présentation

Un cahier complet

• **Ce cahier de Français, destiné aux élèves de CP, est conforme aux derniers programmes.**

Il reprend toutes les notions et couvre tous les domaines :
– Lecture
– Grammaire
– Orthographe
– Conjugaison
– Vocabulaire
– Écriture

• **La rubrique « J'observe et je retiens »** propose toutes les **règles** et de nombreux **exemples.**

• **La rubrique « Je m'entraîne »** propose des **exercices** pour réinvestir les acquisitions.

→ Les corrigés détachables sont situés au centre du cahier.

• À la fin de chaque page, l'enfant est invité à **s'auto-évaluer**.

• La rubrique **« Pour l'adulte »** donne des conseils pour guider au mieux l'enfant.

Un mémento visuel

Un mémento avec l'essentiel à retenir en Français CP : pour une mémorisation visuelle efficace !

→ À détacher au centre du cahier et à conserver toute l'année.

Sommaire

LECTURE

GRAMMAIRE

ORTHOGRAPHE

CONJUGAISON

VOCABULAIRE

ÉCRITURE

Mémento visuel détachable

Corrigés détachables au centre du cahier

1 Les lettres : minuscules et majuscules

J'observe et je retiens

ballon

BALLON

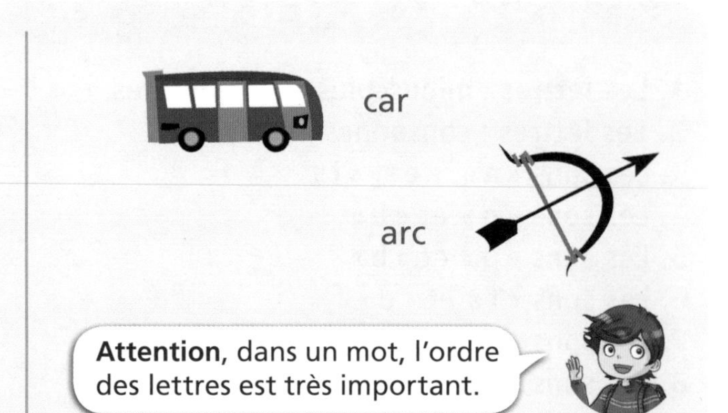

■ Les mots s'écrivent avec des lettres.
Une lettre peut avoir différentes formes.
- **b – a – l** sont des lettres **minuscules**.
- **B – A – L** sont des lettres **majuscules**.

Je m'entraîne

1 Repasse en rouge les lettres majuscules.

a E n u U s b r

A N E S R B

2 Relie les trois écritures différentes d'une même lettre.

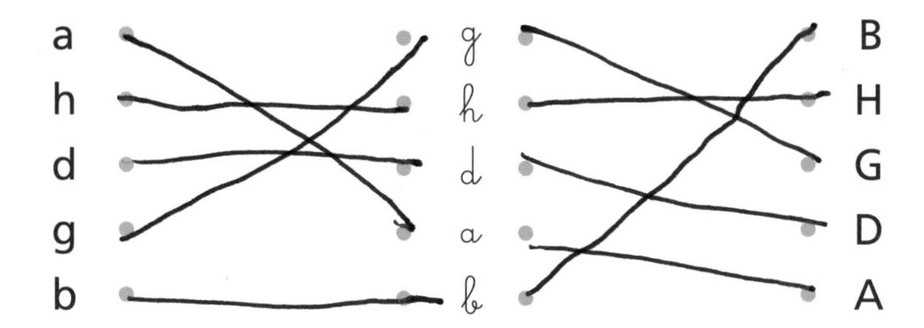

3 Pour chaque étiquette, entoure le mot recopié correctement.

montre

monter
nomtre
montre

table

table
talbe
tabel

étoile

étiole
etoilé
étoile

Pour l'adulte
Aidez l'enfant à reconnaître les différentes écritures d'une même lettre (cursive, script, majuscule).

Très bien ☑ **Assez bien** ☐ **Pas assez bien** ☐

2 Les lettres : consonnes et voyelles

J'observe et je retiens

Le mot *pomme* s'écrit avec 4 lettres différentes.
p – **o** – **m** – m – **e**

l – **u** – n – e

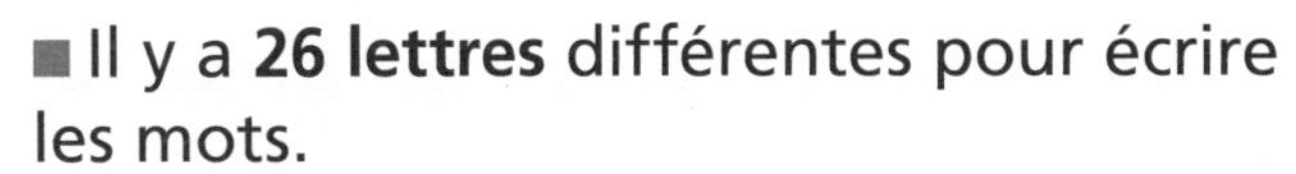

■ Il y a **26 lettres** différentes pour écrire les mots.
A B C D E F G H I J K L M N O P Q R S T U V W X Y Z

■ Dans l'alphabet, il y a **6 voyelles** :
a – e – i – o – u – y.
Les autres lettres sont des **consonnes**.

Je m'entraîne

1 Entoure le nombre de lettres différentes qu'il faut pour écrire chaque mot.

3 4 5 6 seau

3 4 5 6 moto

5 6 7 8 papillon

2 Entoure les lettres utilisées pour écrire les mots.

robinet

a b c d e f g h i j k l m n o p q r s t u v w x y z

parapluie

a b c d e f g h i j k l m n o p q r s t u v w x y z

3 Entoure les voyelles.

chapeau tracteur

4 Combien faut-il de voyelles et de consonnes différentes pour écrire ces mots ?

salade

consonnes : 3
voyelles : 2

arrosoir

consonnes : 2
voyelles : 3

Très bien ☑ Assez bien ☐ Pas assez bien ☐

3 Les sons « a », « e », « i »

J'observe et je retiens

chat

chat

▶ J'entends « a ».
▶ Je vois a, *a*.
▶ Le son « a » s'écrit a, *a*.

cheval

cheval

▶ J'entends « e ».
▶ Je vois e, *e*.
▶ Le son « e » s'écrit e, *e*.

lit

lit

pyjama

pyjama

▶ J'entends « i ».
▶ Je vois i, *i* et y, *y*.
▶ Le son « i » s'écrit i, *i*, y, *y*.

Je m'entraîne

1 **Entoure en jaune quand tu entends le son « a ».**

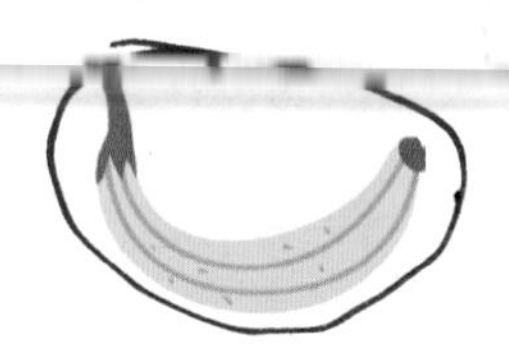 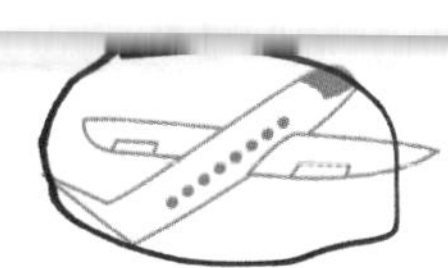 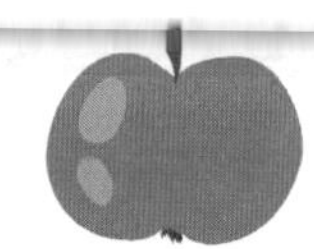  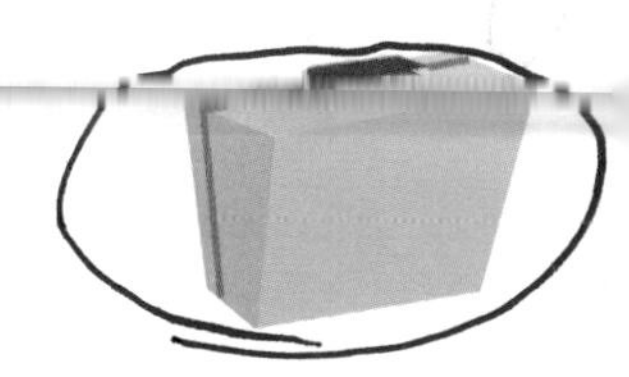

2 **Entoure en vert quand tu entends le son « e » et en rouge quand tu entends le son « i ».**

 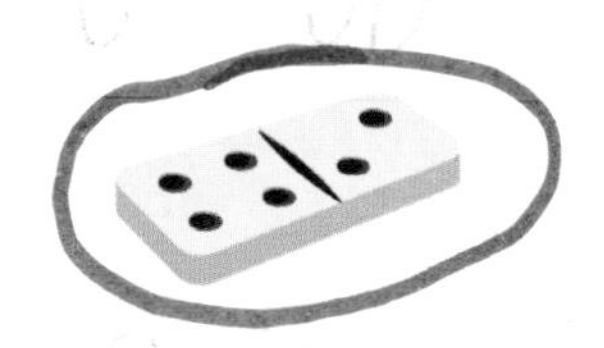 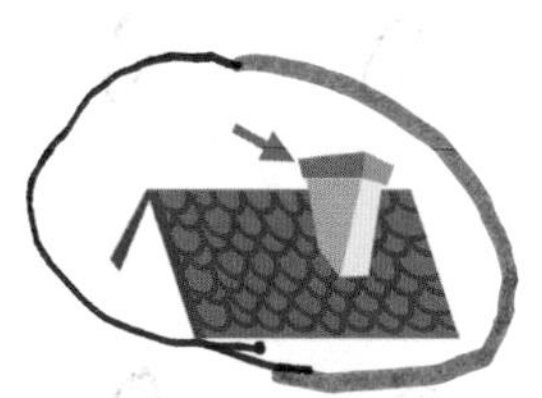  

3 **Découpe les étiquettes à la fin de ton cahier, puis complète les mots en collant chaque étiquette à l'emplacement qui convient.**

g [e] nou   [a] n [a] nas   b [i] b [e] ron   c [e] r [i] se

Très bien ☑ Assez bien ☐ Pas assez bien ☐

4 Les sons « o » et « u »

J'observe et je retiens

robot

robot

vélo

vélo

► J'entends **« o »**.
► Je vois **o**, *o*.
► Le son **« o »** s'écrit **o**, *o*.

lune

lune

tortue

tortue

► J'entends **« u »**.
► Je vois **u**, *u*.
► Le son **« u »** s'écrit **u**, *u*.

Je m'entraîne

1 Entoure en jaune quand tu entends le son « o ».

2 Entoure en vert quand tu entends le son « u ».

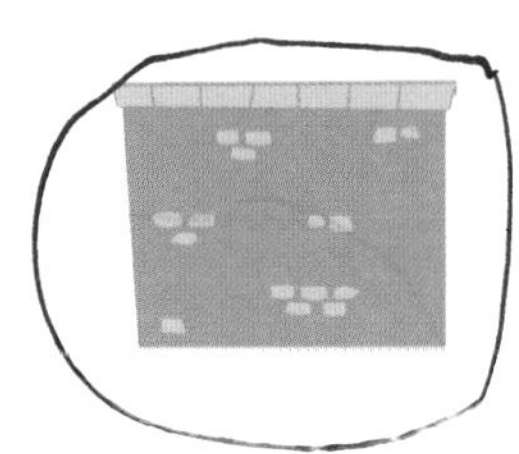

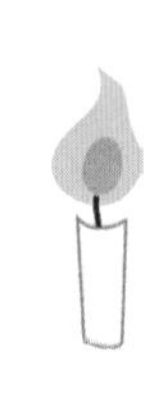

3 Découpe les étiquettes à la fin de ton cahier, puis complète les mots en collant chaque étiquette à l'emplacement qui convient.

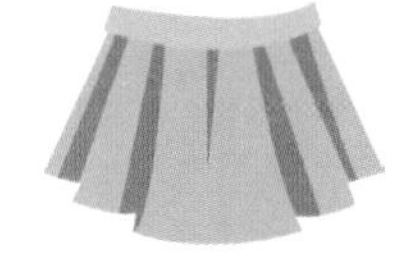

j [u] pe   n [u] age   styl [o]   p [u] ll   d [o] min [o]

Pour l'adulte
Les différentes écritures d'un même son (ex. : o – au – eau) seront étudiées dans la partie orthographe.

Très bien ☑ **Assez bien** ☐ **Pas assez bien** ☐

5 Les sons « p » et « b »

J'observe et je retiens

papi

papi

papillon

papillon

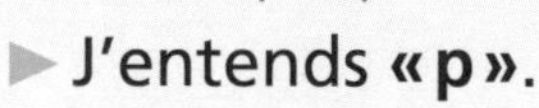

► J'entends « p ».

► Je vois p, *p*.

p → a → pa
p → e → pe

p → i → pi
p → o → po
p → u → pu

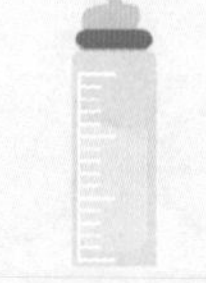

biberon

biberon

balai

balai

► J'entends « b ».

► Je vois b, *b*.

b → a → ba
b → e → be

b → i → bi
b → o → bo
b → u → bu

Je m'entraîne

1 Entoure en jaune quand tu entends le son « p ».

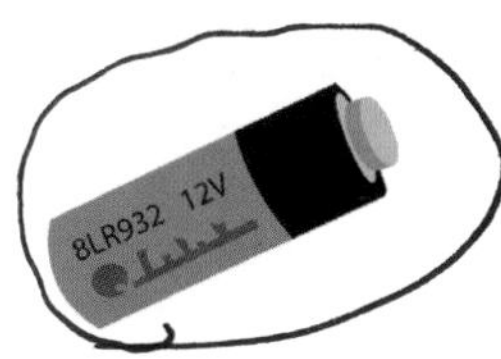

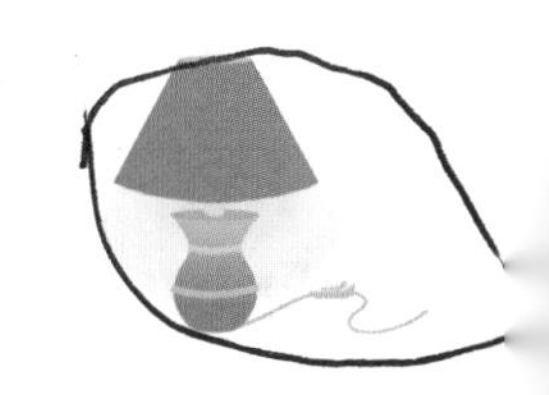

2 Entoure en vert quand tu entends le son « b ».

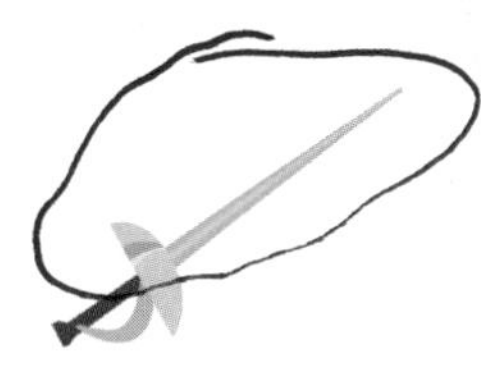

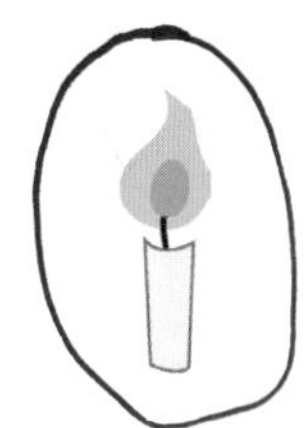

3 Découpe les étiquettes à la fin de ton cahier, puis complète les mots en collant chaque étiquette à l'emplacement qui convient.

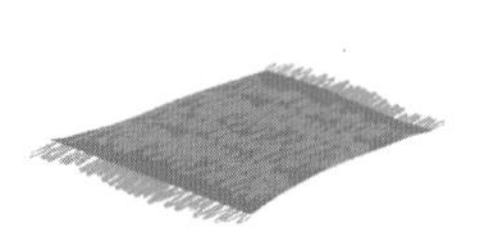

ta [pi] s — com [pa] s — cra [be] — sa [bo] t — [ba] teau

Pour l'adulte

Vérifiez que l'enfant ne confond pas les sons « p » et « b ». Écrivez des séries de syllabes et demandez-lui de les lire. Ex. : pa-ba ; po-bo ; pi-bi ; pe-be.

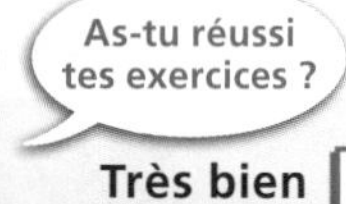

Très bien ☐ Assez bien ☐ Pas assez bien ☐

6 Les sons « t » et « d »

J'observe et je retiens

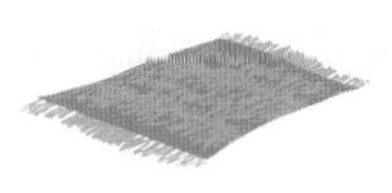    

tapis — moto — radis — pédale

tapis — *moto* — *radis* — *pédale*

- J'entends **« t »**.
- Je vois **t**, *t*.

t → a → ta
t → e → te

t → i → ti
t → o → to
t → u → tu

- J'entends **« d »**.
- Je vois **d**, *d*.

d → a → da
d → e → de

d → i → di
d → o → do
d → u → du

Je m'entraîne

1 Entoure en rouge quand tu entends le son « t ».

 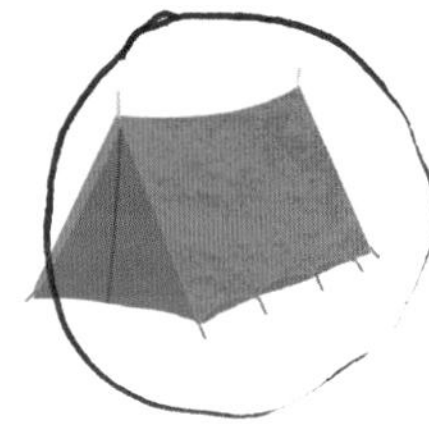   

2 Entoure en bleu quand tu entends le son « d ».

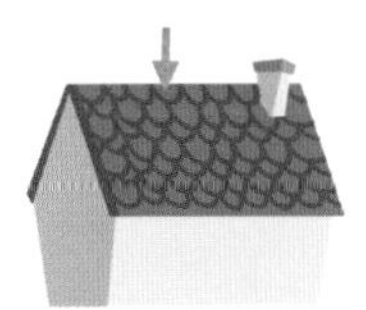 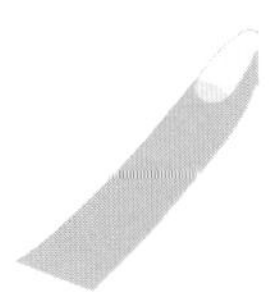 10  

3 Découpe les étiquettes à la fin de ton cahier, puis complète les mots en collant chaque étiquette à l'emplacement qui convient.

 ble —  me —  gre — ma —  s

Pour l'adulte
Les sons « t » et « d » sont très proches.
Vérifiez que l'enfant ne les confond pas et procédez comme dans la fiche précédente.

Très bien ☐ **Assez bien** ☐ **Pas assez bien** ☐

7 Les sons « l » et « r »

J'observe et je retiens

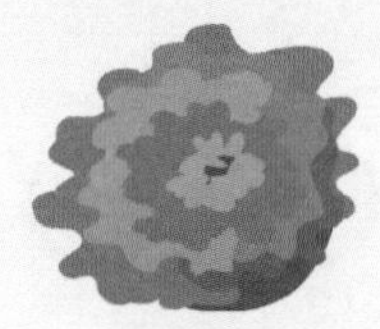 

salade — stylo

salade — *stylo*

► J'entends « l ».
► Je vois l, *l*.

l → a → la
l → e → le

l → i → li
l → o → lo
l → u → lu

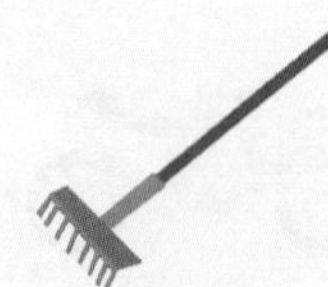 

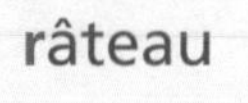
râteau — souris

râteau — *souris*

► J'entends « r ».

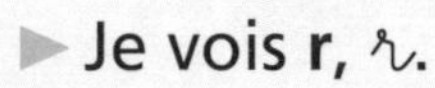
► Je vois r, *r*.

r → a → ra
r → e → re

r → i → ri
r → o → ro
r → u → ru

Je m'entraîne

1 Entoure en rouge quand tu entends le son « l ».

2 Entoure en bleu quand tu entends le son « r ».

3 Découpe les étiquettes à la fin de ton cahier, puis complète les mots en collant chaque étiquette à l'emplacement qui convient.

î     me   ☐ ge   ce ☐ se   ti  re

Très bien ☐ Assez bien ☐ Pas assez bien ☐

8 Les sons « é » et « ê »

J'observe et je retiens

bébé
bébé

télé
télé

▶ J'entends « é ».
▶ Je vois é, *é*.

p → é → pé
b → é → bé
t → é → té

d → é → dé
l → é → lé

tête
tête

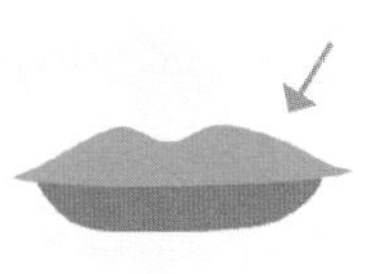

lèvre
lèvre

▶ J'entends « ê ».
▶ Je vois ê, *ê* et è, *è*.

t → ê → tê
d → ê → dê
p → ê → pê

l → è → lè
r → è → rè

Je m'entraîne

1 Entoure en vert quand tu entends le son « é ».

2 Entoure en bleu quand tu entends le son « ê ».

3 Découpe les étiquettes à la fin de ton cahier, puis complète les mots en collant chaque étiquette à l'emplacement qui convient.

☐ dale ☐ cheur a ☐ te é ☐ ve ☐ ☐ phone

Pour l'adulte
La lecture de ces noms ne se différencie que par la forme et la direction de l'accent. Procédez comme pour les fiches 5 et 6 en proposant des séries de syllabes à lire.

Très bien ☐ Assez bien ☐ Pas assez bien ☐

9 Les sons « m » et « n »

J'observe et je retiens

malade

malade

fourmi

fourmi

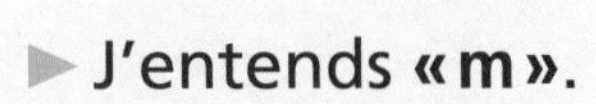

► J'entends **« m »**.

► Je vois **m**, *m*.

m → a → ma
m → i → mi
m → u → mu

m → é → mé
m → ê → mê

nappe

nappe

niche

niche

► J'entends **« n »**.

► Je vois **n**, *n*.

n → a → na
n → i → ni
n → e → ne

n → o → no
n → è → nè

Je m'entraîne

1 Entoure en rouge quand tu entends le son « m ».

2 Entoure en bleu quand tu entends le son « n ».

3 Découpe les étiquettes à la fin de ton cahier, puis complète les mots en collant chaque étiquette à l'emplacement qui convient.

   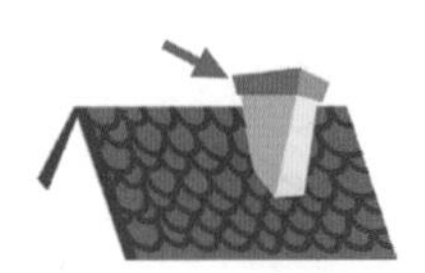 

☐ d   ba ☐ ☐   do 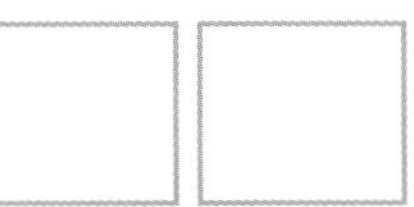   che  e    ge

Très bien ☐   Assez bien ☐   Pas assez bien ☐

10 Le son « ou »

J'observe et je retiens

pouce
pouce

hibou
hibou

louche
louche

route
route

▶ J'entends **« ou »**. ▶ Je vois **ou**, *ou*.

p → ou → pou t → ou → tou d → ou → dou m → ou → mou

Je m'entraîne

1 Colorie les dessins quand tu entends le son « ou ».

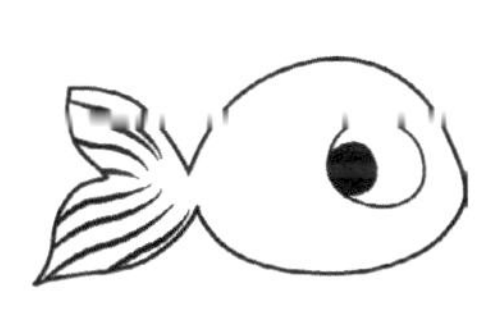

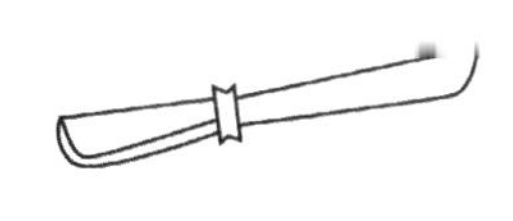
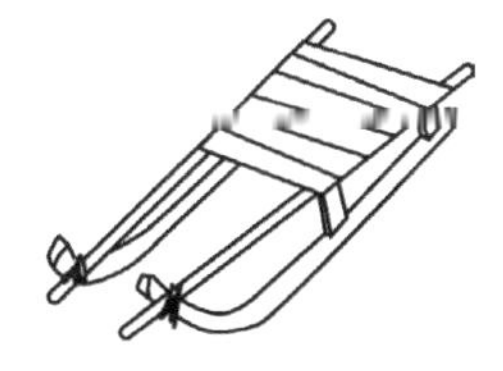

2 Entoure le mot qui correspond à chaque dessin.

bouche
ruche
douche
mouche

moule
boule
poule
roule

loup
pou
pull
mur

3 Découpe les étiquettes à la fin de ton cahier, puis complète les mots en collant chaque étiquette à l'emplacement qui convient.

☐☐

☐ lin

☐ ze

☐ ton

☐☐ e

Pour l'adulte

Ce son correspond à l'association de deux voyelles. Veillez à ce que l'enfant respecte l'ordre des lettres en lui proposant la lecture de ces syllabes : do-du-dou ; bo-bu-bou ; po-pu-pou…

Très bien ☐ Assez bien ☐ Pas assez bien ☐

11 Les sons « f » et « v »

J'observe et je retiens

fée

fée

girafe

girafe

volant

volant

locomotive

locomotive

► J'entends « f ».

► Je vois f, *f*.

► J'entends « v ».

► Je vois v, *v*.

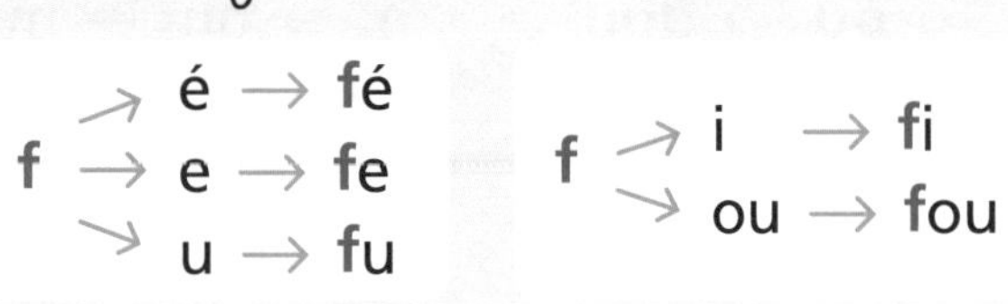

f → é → fé
f → e → fe
f → u → fu

f → i → fi
f → ou → fou

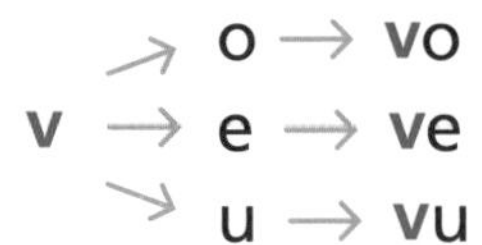

v → o → vo
v → e → ve
v → u → vu

v → a → va
v → ê → vê

Je m'entraîne

1 Entoure en rouge quand tu entends le son « f ».

2 Entoure en bleu quand tu entends le son « v ».

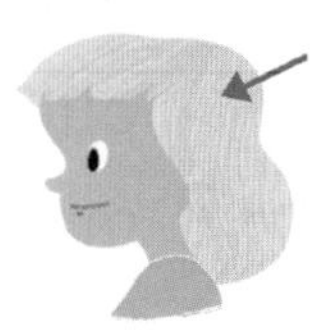 20   

3 Découpe les étiquettes à la fin de ton cahier, puis complète les mots en collant chaque étiquette à l'emplacement qui convient.

 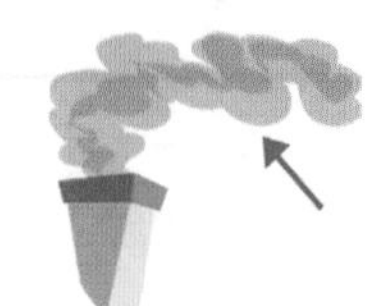  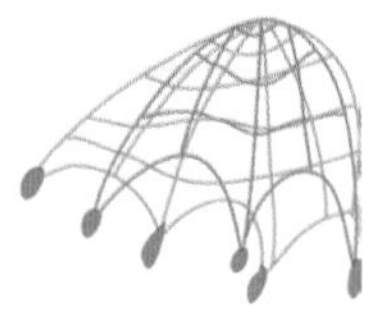 

la ☐ ☐   ☐ mée   ☐ ri ☐   ☐ let   ☐ olon

Pour l'adulte

Les sons « f » et « v » sont également très proches. Faites lire ces syllabes à l'enfant : fa-fe ; ve-vi ; vo-fo ; vu-fu ; vou-fou.

Très bien ☐ Assez bien ☐ Pas assez bien ☐

12 Les sons « k » et « g »

J'observe et je retiens

carotte

carotte

collier

collier

- J'entends **« k »**.
- Je vois **c**, *c*.

c → a → ca
c → o → co

c → ou → cou
c → u → cu

gare

gare

escargot

escargot

- J'entends **« g »**.
- Je vois **g**, *g*.

g → a → ga
g → o → go

g → ou → gou
g → u → gu

Je m'entraîne

1 Entoure en rouge quand tu entends le son « k ».

  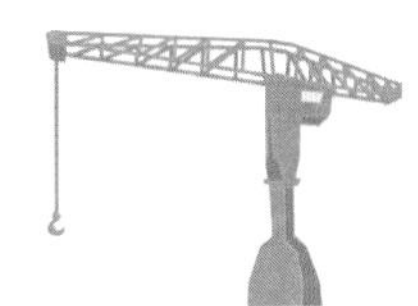  

2 Entoure en bleu quand tu entends le son « g ».

3 Découpe les étiquettes à la fin de ton cahier, puis complète les mots en collant chaque étiquette à l'emplacement qui convient.

 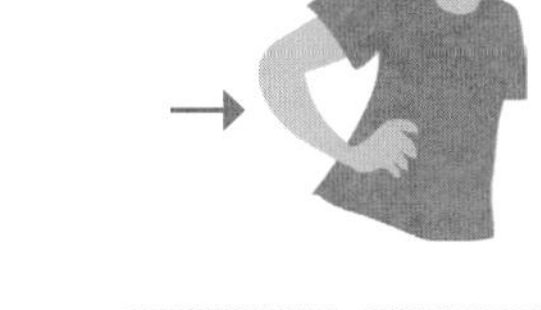   

   re fi  re kan ☐ ☐

Pour l'adulte

La lecture des sons « k » et « g » peut être source de confusion. Proposez à l'enfant de lire ces syllabes : ca-co ; ce-que ; cu-gu ; cou-gou.

Très bien ☐ **Assez bien** ☐ **Pas assez bien** ☐

13 Le son « on »

J'observe et je retiens

pont

pont

pantalon

pantalon

montagne

montagne

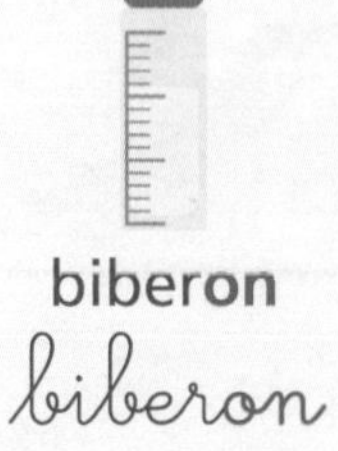

biberon

biberon

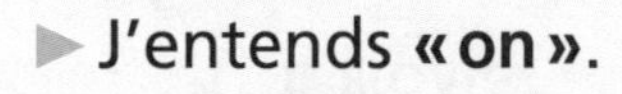

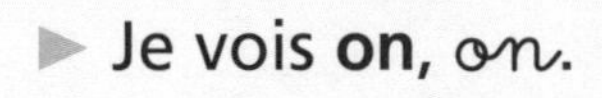

p → on → pon | l → on → lon | m → on → mon | r → on → ron

Je m'entraîne

1 Colorie les dessins quand tu entends le son « on ».

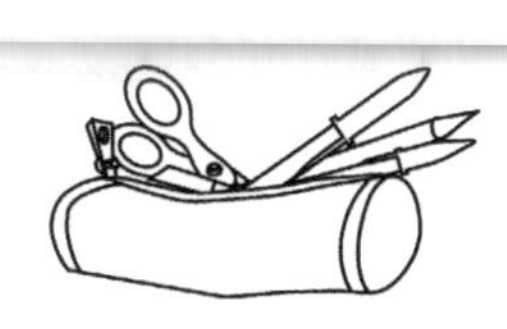

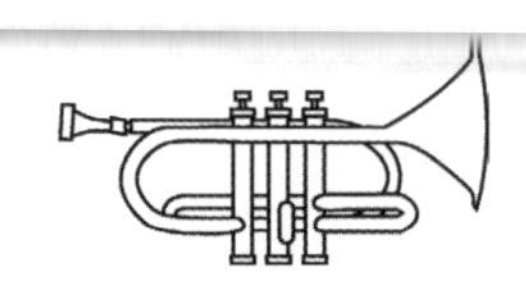

2 Entoure le mot qui correspond à chaque dessin.

tomate
montre
talon
moule

ronde
ballon
bonnet
sonde

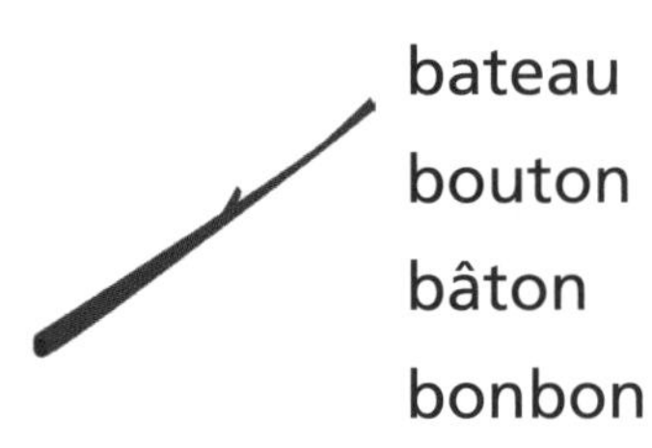

bateau
bouton
bâton
bonbon

3 Découpe les étiquettes à la fin de ton cahier, puis complète les mots en collant chaque étiquette à l'emplacement qui convient.

11

☐ ☐   hé ☐   ☐ ze   ☐ fi ☐ ☐   ☐ ☐ ge

Très bien ☐ Assez bien ☐ Pas assez bien ☐

14 Les sons « an » et « in »

J'observe et je retiens

landau

landau

rectangle

rectangle

▶ J'entends **« an »**.

▶ Je vois **an**, *an*.

l → an → lan
t → an → tan
m → an → man

p → an → pan
g → an → gan

sapin

sapin

moulin

moulin

▶ J'entends **« in »**.

▶ Je vois **in**, *in*.

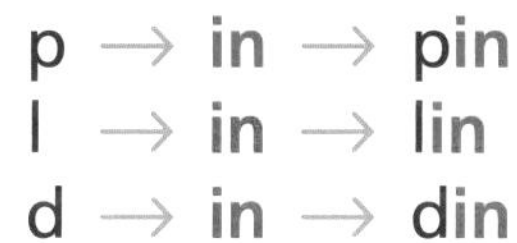

p → in → pin
l → in → lin
d → in → din

n → in → nin
v → in → vin

Je m'entraîne

1 Entoure en vert quand tu entends le son « an ».

2 Entoure en jaune quand tu entends le son « in ».

3 Découpe les étiquettes à la fin de ton cahier, puis complète les mots en collant chaque étiquette à l'emplacement qui convient.

☐ ☐ t   ma ☐   la ☐   ☐ ☐   ☐ ☐ ☐

Très bien ☐ **Assez bien** ☐ **Pas assez bien** ☐

15 Le son « ch »

J'observe et je retiens

chapeau
chapeau

parachute
parachute

machine
machine

hache
hache

▶ J'entends **« ch »**. ▶ Je vois **ch**, *ch*.

ch → a → cha   ch → u → chu   ch → i → chi   ch → e → che

Je m'entraîne

1 Colorie les dessins quand tu entends le son « ch ».

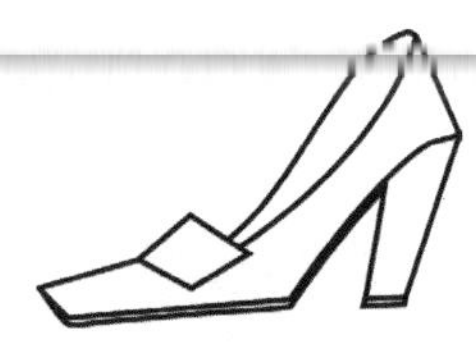
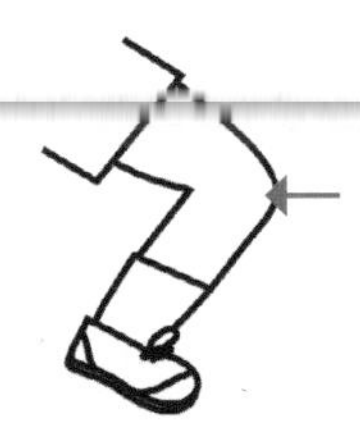
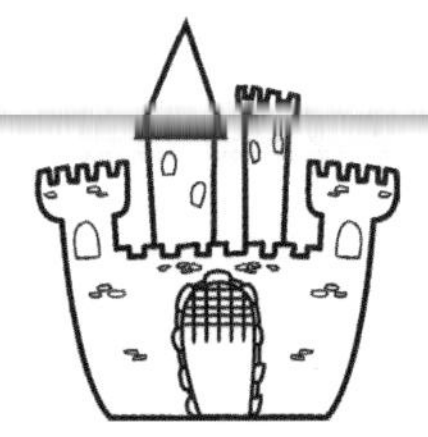

2 Entoure le mot qui correspond à chaque dessin.

chou
clou
ruche
cloche

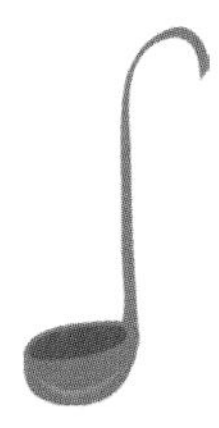

couche
douche
bouche
louche

cheminée
chemise
chemin
cheval

3 Découpe les étiquettes à la fin de ton cahier, puis complète les mots en collant chaque étiquette à l'emplacement qui convient.

☐ t   ☐ ☐   ☐ ☐ ☐ t   ☐ ☐   bû ☐ ☐

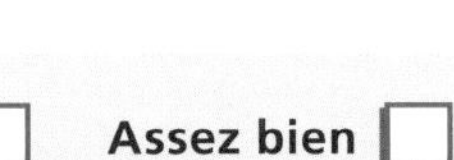

Très bien ☐ **Assez bien** ☐ **Pas assez bien** ☐

16 Le son « j »

J'observe et je retiens

jupe

bijou

bijou

genou

genou

girafe

girafe

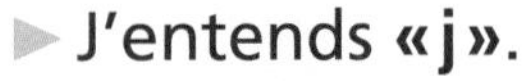

▶ J'entends **« j »**.

▶ Je vois **j**, *j*.

j → u → ju
j → ou → jou

▶ J'entends **« j »**.

▶ Je vois **g**, *g*.

g → e → ge
g → i → gi

Je m'entraîne

1 Colorie les dessins quand tu entends le son « j ».

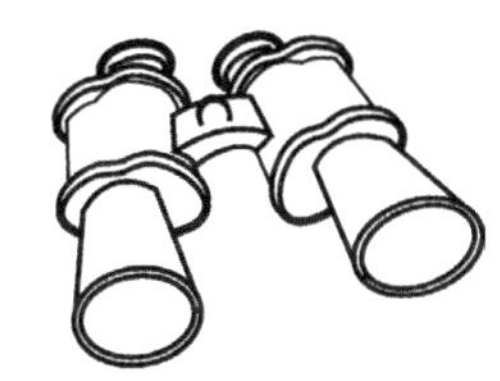

2 Entoure le mot qui correspond à chaque dessin.

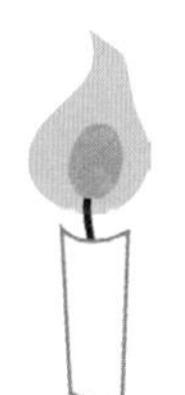

bouche
bougie
bagage
bijou

joue
chou
journal
bonjour

jupe
page
juge
plage

3 Découpe les étiquettes à la fin de ton cahier, puis complète les mots en collant chaque étiquette à l'emplacement qui convient.

☐ e ☐ do   o  py 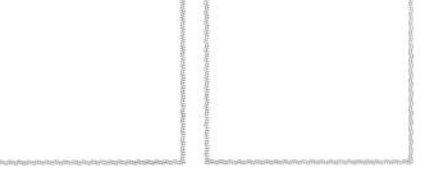

Pour l'adulte

La lecture des sons « ch » et « j » est également très proche. Proposez à l'enfant de lire ces syllabes : cha-ja ; jou-chou ; jan-chan ; ge-che ; jon-chon.

Très bien ☐ **Assez bien** ☐ **Pas assez bien** ☐

17 Le son « s »

J'observe et je retiens

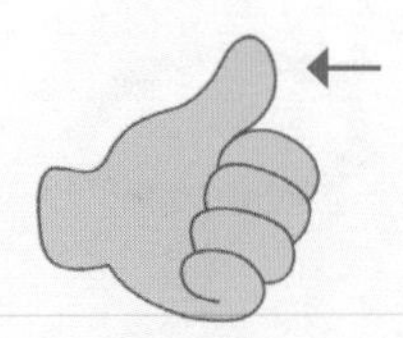

salade — *salade*

soupe — *soupe*

► J'entends « s ».

► Je vois s, *s*.

s → a → sa
s → ou → sou

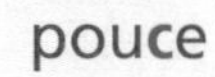
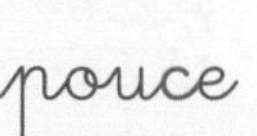

pouce — *pouce*

citron — *citron*

► J'entends « s ».

► Je vois c, *c*.

c → e → ce
c → i → ci

Je m'entraîne

1 Colorie les dessins quand tu entends le son « s ».

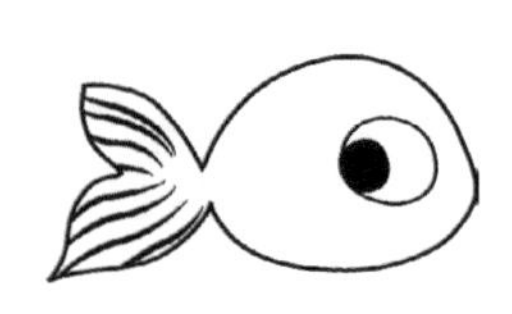
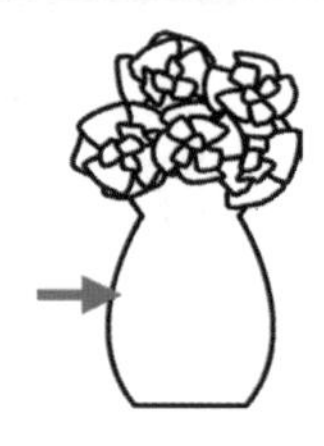

2 Entoure le mot qui correspond à chaque dessin.

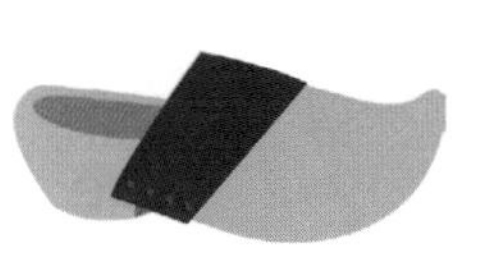

chaton
salon
selon
sabot

soleil
soupe
soldat
souris

cerise
carré
colis
cinéma

3 Découpe les étiquettes à la fin de ton cahier, puis complète les mots en collant chaque étiquette à l'emplacement qui convient.

☐ von —  rop —  cou  —  da  — pin 

Pour l'adulte
Les différentes écritures de ce son seront étudiées dans la partie orthographe.

As-tu réussi tes exercices ?

Très bien ☐ Assez bien ☐ Pas assez bien ☐

18 Le son « z »

J'observe et je retiens

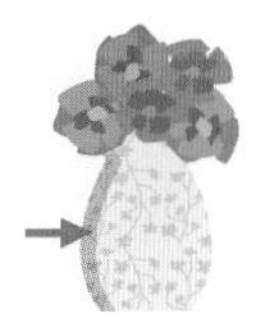

vase

vase

maison

maison

▶ J'entends « z ».

▶ Je vois **s**, *s*.

s → é → fusée
s → a → visage

onze

onze

zorro

zorro

▶ J'entends « z ».

▶ Je vois **z**, *z*.

z → è → zè
z → o → zo
z → a → za

Je m'entraîne

1 Colorie les dessins quand tu entends le son « z ».

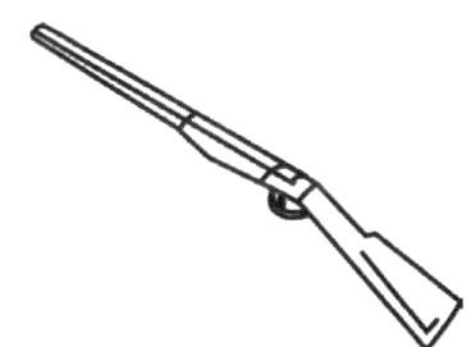

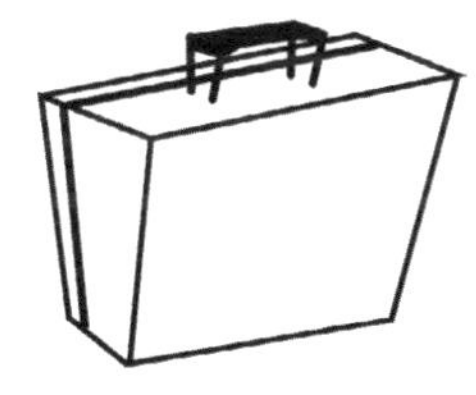

2 Entoure le mot qui correspond à chaque dessin.

rose
case
zéro

sortie
souris
trésor

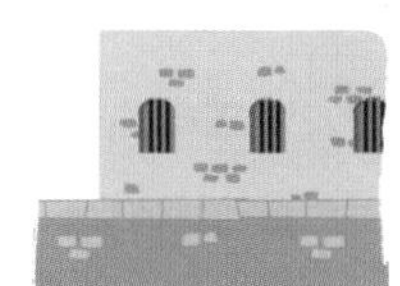

maison
prison
vison

3 Découpe les étiquettes à la fin de ton cahier, puis complète les mots en collant chaque étiquette à l'emplacement qui convient.

u ☐ ☐

trapè ☐

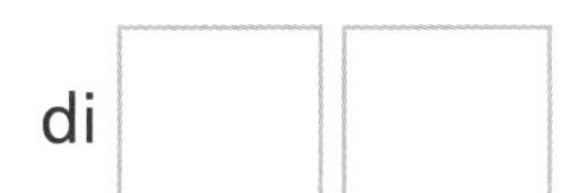

di ☐ ☐

bi ☐

Très bien ☐ Assez bien ☐ Pas assez bien ☐

19 Le son « oi »

J'observe et je retiens

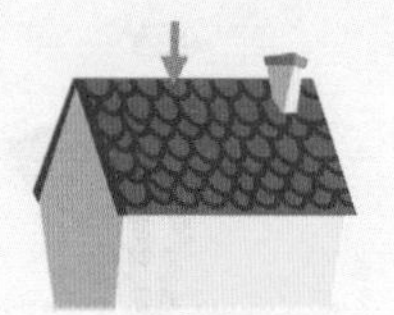

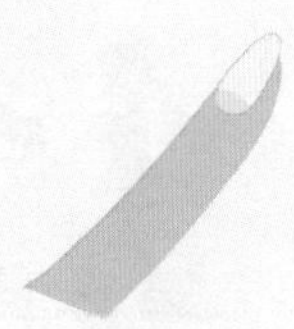

toit	doigt	voiture	poisson
toit	*doigt*	*voiture*	*poisson*

► J'entends **« oi »**. ► Je vois **oi**, *oi*.

t → oi → toi
b → oi → boi

l → oi → loi
ch → oi → choi

r → oi → roi
m → oi → moi

Je m'entraîne

1 Colorie les dessins quand tu entends le son « oi ».

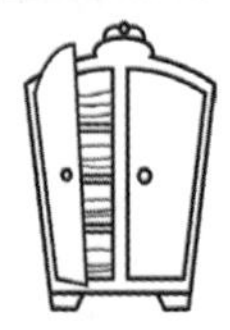

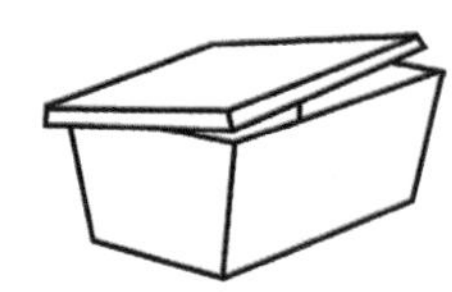

2 Entoure le mot qui correspond à chaque dessin.

noix
bois
toit
mois

toit
étoile
poil
voile

point
lion
roi
poids

3 Découpe les étiquettes à la fin de ton cahier, puis complète les mots en collant chaque étiquette à l'emplacement qui convient.

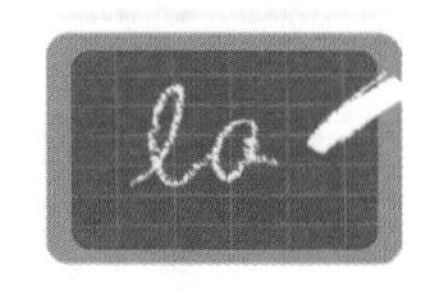

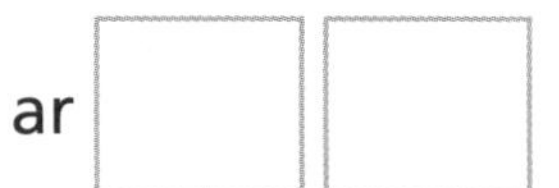

ar ☐ ☐

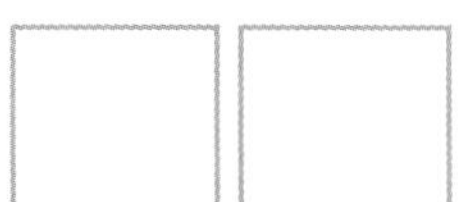

☐ ds

☐ ☐

☐ ☐ s

arro ☐

As-tu réussi tes exercices ?

Très bien ☐ Assez bien ☐ Pas assez bien ☐

20 Les sons « eu » et « eur »

J'observe et je retiens

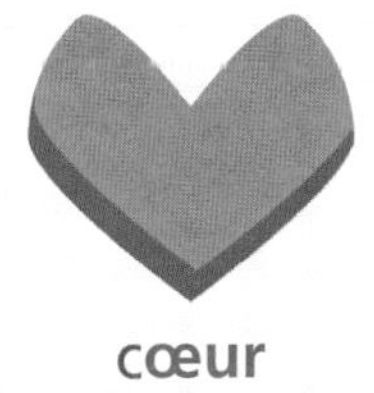

feu	nœud	docteur	cœur
feu	*nœud*	*docteur*	*cœur*

► J'entends **« eu »**.

► Je vois **eu**, *eu*, **œu**, *œu*.

f → eu → feu
n → œu → nœu

► J'entends **« eur »**.

► Je vois **eur**, *eur*, **œur**, *œur*.

t → eur → teur
c → œur → cœur

Je m'entraîne

1 Colorie les dessins quand tu entends le son « eu » comme dans « deux ».

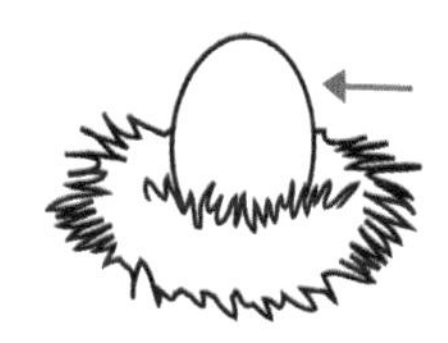

2 Entoure le mot qui correspond à chaque dessin.

neuf
vent
menu
euro

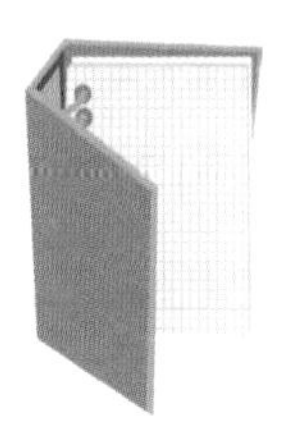

chasseur
classeur
chaleur
clameur

immeuble
meuble
demeure
revenu

3 Découpe les étiquettes à la fin de ton cahier, puis complète les mots en collant chaque étiquette à l'emplacement qui convient.

chas [ ] | [ ] [ ] se | vo [ ] | [ ] [ ] se | [ ] [ ]

Très bien ☐ Assez bien ☐ Pas assez bien ☐

21 Le son « gn »

J'observe et je retiens

peigne

peigne

araignée

araignée

signature

signature

► J'entends **« gn »**. ► Je vois **gn**, *gn*.

gn	↗	e	→	gne
	→	é	→	gné
	↘	a	→	gna

gn	↗	on	→	gnon
	→	oi	→	gnoi
	↘	et	→	gnet

Je m'entraîne

1 Colorie les dessins quand tu entends le son « gn ».

 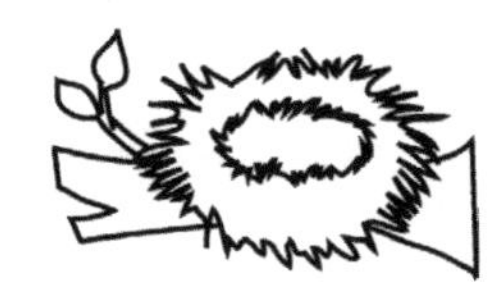  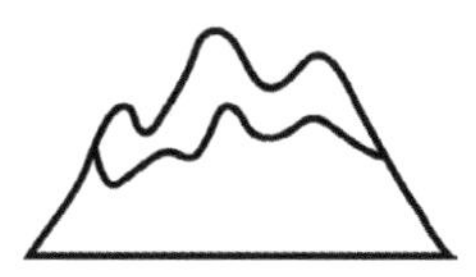 

2 Entoure le mot qui correspond à chaque dessin.

figue
vigne
vingt
ligne

guépard
chignon
muguet
poignard

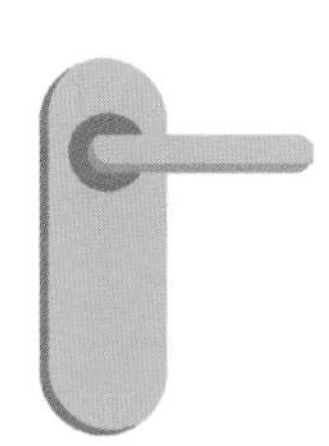

poignée
muguet
tigre
panier

3 Découpe les étiquettes à la fin de ton cahier, puis complète les mots en collant chaque étiquette à l'emplacement qui convient.

 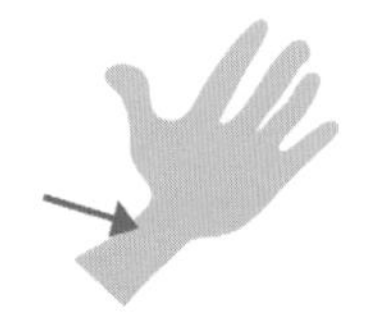   

ci ☐ ☐ ☐ ☐ li ☐ bei ☐ pei ☐

Très bien ☐ Assez bien ☐ Pas assez bien ☐

22 an et na – on et no – in et ni

J'observe et je retiens

ancre	navire	onze	note	indien	niche
ancre	navire	onze	note	indien	niche

a → n → an
n → a → na

o → n → on
n → o → no

i → n → in
n → i → ni

Je m'entraîne

1 Entoure le son que tu entends.

an na 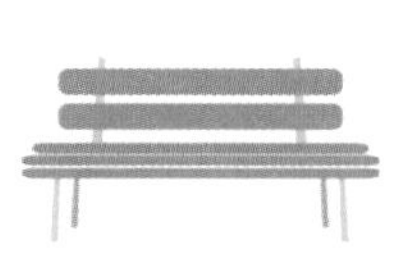

on no 

in ni 

an na 

in ni 

2 Entoure le mot qui correspond à chaque dessin.

chemin
chemise
cheminée

narine
animal
navire

canot
canon
canne

3 Découpe les étiquettes à la fin de ton cahier, puis complète les mots en collant chaque étiquette à l'emplacement qui convient.

do ☐ ☐ p ☐ tal ☐ ☐ ri ☐ ☐ c ☐ die

Pour l'adulte
Veillez à ce que l'enfant respecte l'ordre des lettres à la lecture de ces sons.

Très bien ☐ Assez bien ☐ Pas assez bien ☐

23 ar, or, ur… – ac, oc, uc…

J'observe et je retiens

		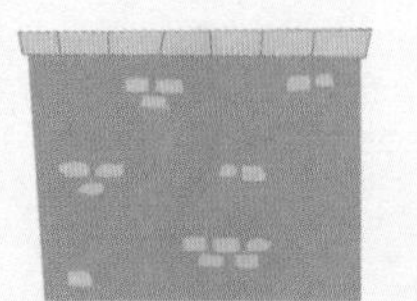			
cartable	corde	mur	sac	docteur	viaduc
cartable	*corde*	*mur*	*sac*	*docteur*	*viaduc*

a → r → ar
o → r → or
u → r → ur

a → c → ac
o → c → oc
u → c → uc

Je m'entraîne

1 Entoure le son que tu entends.

ar ra

ur ru

ac ca

or ro

ir ri

2 Entoure le mot qui correspond à chaque dessin.

bac
café
cave

carte
mare
larme

forme
foulard
farine

3 Découpe les étiquettes à la fin de ton cahier, puis complète les mots en collant chaque étiquette à l'emplacement qui convient.

b ☐ ☐

☐ ☐ tte

f ☐ ☐

f ☐ teur

Très bien ☐ Assez bien ☐ Pas assez bien ☐

24 as, is, os... – al, il, ol...

J'observe et je retiens

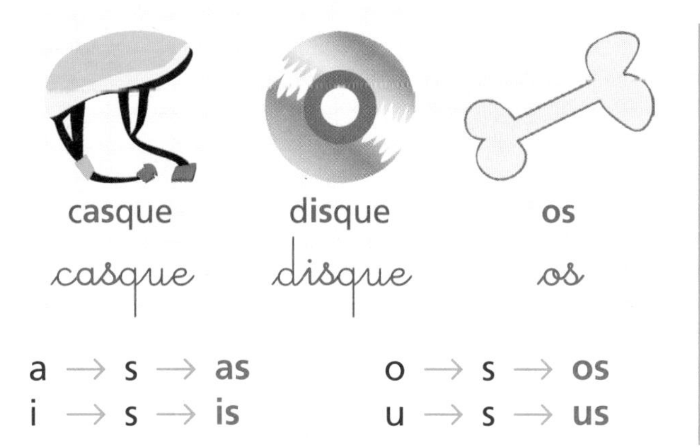

casque disque os

casque *disque* *os*

a → s → as o → s → os
i → s → is u → s → us

cheval fil bol

cheval *fil* *bol*

a → l → al o → l → ol
i → l → il u → l → ul

Je m'entraîne

1 Entoure le son que tu entends.

as sa

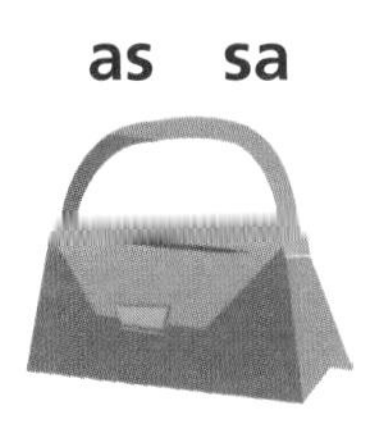

os so

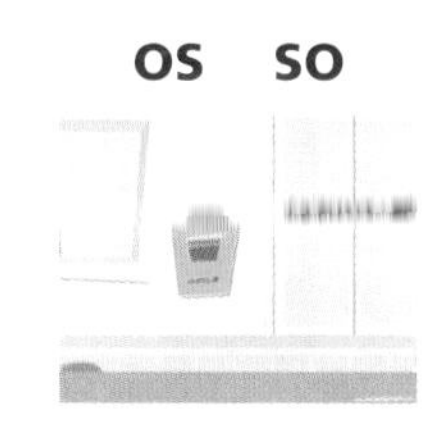

al la

us su

ol lo

2 Entoure le mot qui correspond à chaque dessin.

île
lime
pile
poli

poilu
pull
sucre
lustre

escalier
secours
espace
sentier

3 Découpe les étiquettes à la fin de ton cahier, puis complète les mots en collant chaque étiquette à l'emplacement qui convient.

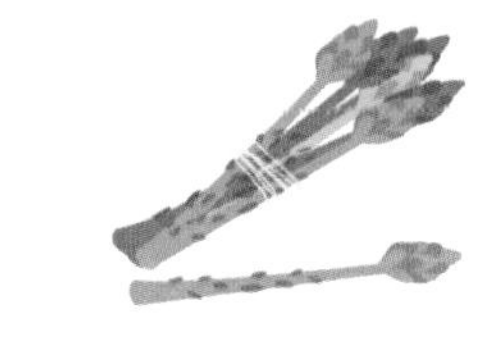

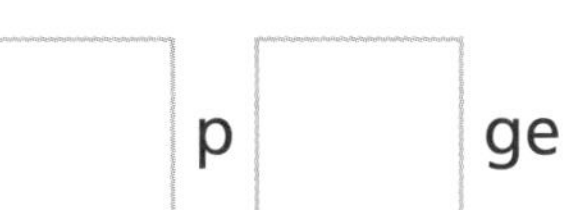

☐ p ☐ ge

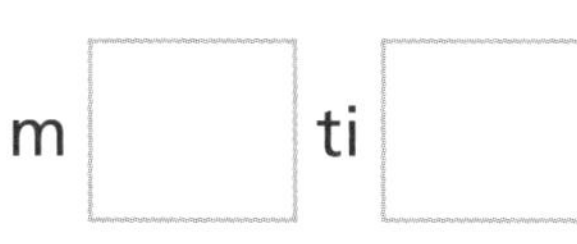

m ☐ ti ☐

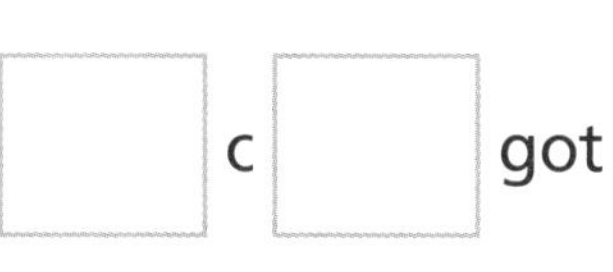

☐ c ☐ got

☐ ☐ de

Très bien ☐ **Assez bien** ☐ **Pas assez bien** ☐

25 car et cra... – tor et tro...

J'observe et je retiens

carte

carte

c → ar → car
c → or → cor

crabe

crabe

cr → a → cra
cr → o → cro

tortue

tortue

t → or → tor
t → ar → tar

trottoir

trottoir

tr → o → tro
tr → a → tra

Je m'entraîne

1 Entoure le son que tu entends.

car cra

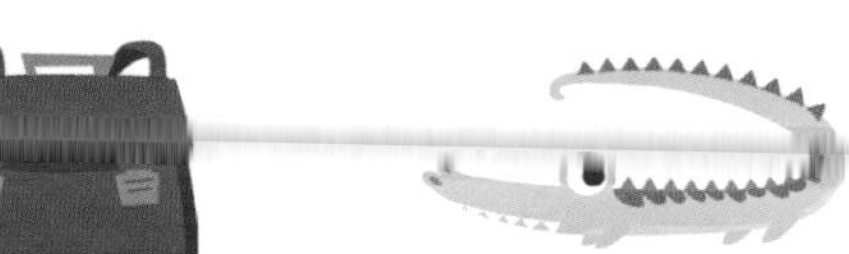

cor cro

dar dra

por pro

pri pir

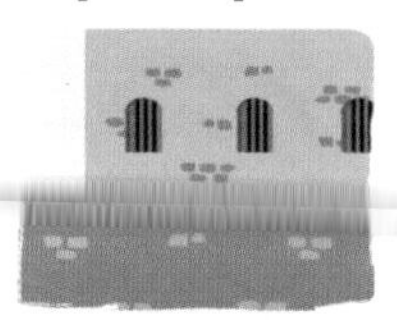

2 Entoure le mot qui correspond à chaque dessin.

cravate
cartable
crapaud
carnaval

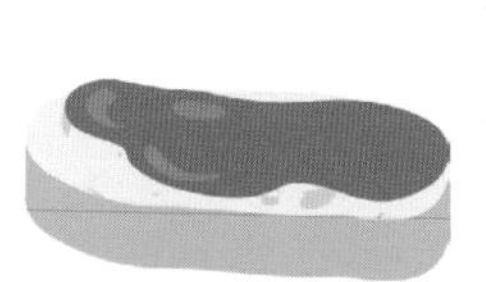

tracteur
tarte
train
tartine

corbeau
crocodile
crochet
cornichon

3 Découpe les étiquettes à la fin de ton cahier, puis complète les mots en collant chaque étiquette à l'emplacement qui convient.

☐ ☐ te

☐ ☐

☐ versin

☐ te

au

☐ ☐

Très bien ☐ Assez bien ☐ Pas assez bien ☐

26 *ien* et *ein* – *ian* et *ain*

J'observe et je retiens

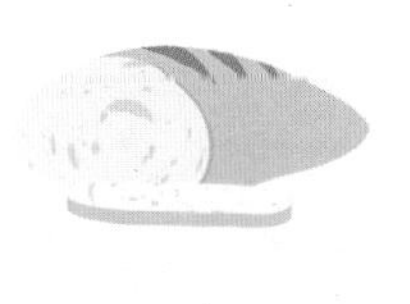

chien	peintre	triangle	pain
chien	*peintre*	*triangle*	*pain*

▶ *ien* : on entend d'abord le son **« i »**.
▶ *ein* : c'est le son **« in »**.

▶ *ian* : on entend d'abord le son **« i »**.
▶ *ain* : c'est le son **« in »**.

L'ordre des lettres change le son.

Je m'entraîne

1 Entoure le son que tu entends.

ien ein

2 Entoure le mot qui correspond à chaque dessin.

mien
nain
main
mamie

gardien
gradin
galérien
gratin

ceinture
centre
client
chien

3 Découpe les étiquettes à la fin de ton cahier, puis complète les mots en collant chaque étiquette à l'emplacement qui convient.

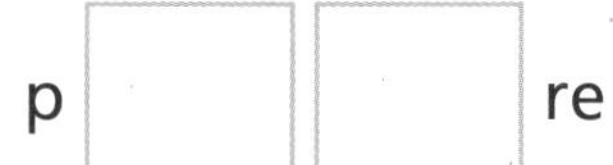

tr ☐ gle

Très bien ☐ Assez bien ☐ Pas assez bien ☐

27 pr et br – tr et dr

J'observe et je retiens

prison

prison

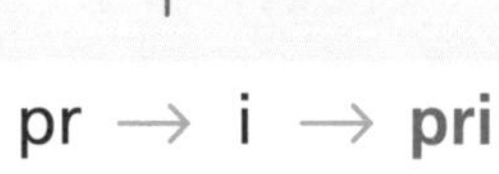

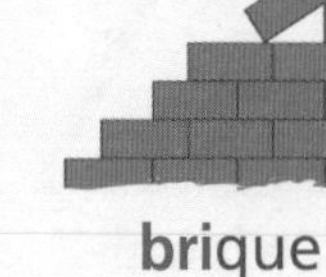

brique

brique

fenêtre

fenêtre

cadre

cadre

pr → i → pri
pr → o → pro

br → i → bri
br → o → bro

tr → e → tre
tr → a → tra

dr → e → dre
dr → a → dra

Je m'entraîne

1 Entoure le son que tu entends.

tr dr

pr br

pr br

tr dr

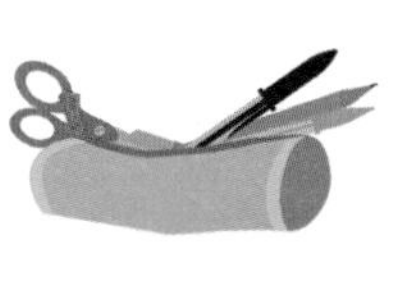

pr br

2 Entoure le mot qui correspond à chaque dessin.

briquet
prix
brioche
prince

traîneau
cadran
treize
droite

prune
brune
prairie
brebis

3 Découpe les étiquettes à la fin de ton cahier, puis complète les mots en collant chaque étiquette à l'emplacement qui convient.

☐ ne ☐ ☐ ☐ ☐ let ven ☐ ☐ ma ☐ re

As-tu réussi tes exercices ?

Très bien ☐ **Assez bien** ☐ **Pas assez bien** ☐

28 fr et vr – cr et gr

J'observe et je retiens

coffre

coffre

livre

livre

sucre

sucre

tigre

tigre

fr → e → fre
fr → a → fra

vr → e → vre
vr → a → vra

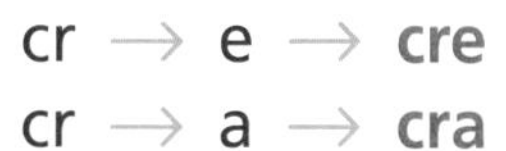

cr → e → cre
cr → a → cra

gr → e → gre
gr → a → gra

Je m'entraîne

1 Entoure le son que tu entends.

cr gr

gr vr

cr fr

fr vr

cr gr

2 Entoure le mot qui correspond à chaque dessin.

cravate
grappe
grave
crapaud

croc
gros
croix
grand

frère
chèvre
fraise
vrai

3 Découpe les étiquettes à la fin de ton cahier, puis complète les mots en collant chaque étiquette à l'emplacement qui convient.

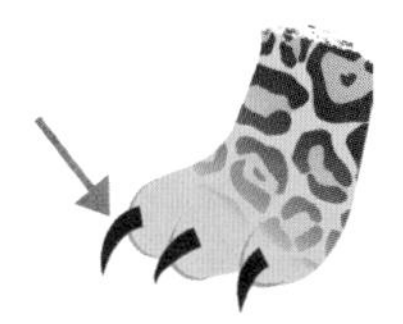

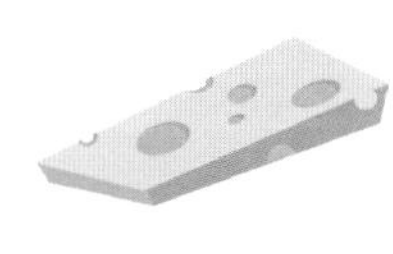

 ffe

 niè

liè

 chet

ma

Très bien ☐ Assez bien ☐ Pas assez bien ☐

29 pl et bl – cl et gl

J'observe et je retiens

plat	table	cloche	globe
plat	*table*	*cloche*	*globe*
pl → a → **pla**	bl → e → **ble**	cl → o → **clo**	gl → o → **glo**
pl → e → **ple**	bl → a → **bla**	cl → a → **cla**	gl → a → **gla**

Je m'entraîne

1 Entoure le son que tu entends.

pl bl

cl gl

pl bl

cl gl

cl gl

2 Entoure le mot qui correspond à chaque dessin.

plante
planche
blouse
blouson

cartable
établi
placard
plongeur

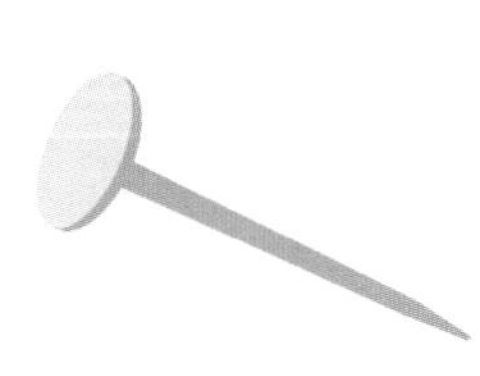

classeur
classe
claque
clou

3 Découpe les étiquettes à la fin de ton cahier, puis complète les mots en collant chaque étiquette à l'emplacement qui convient.

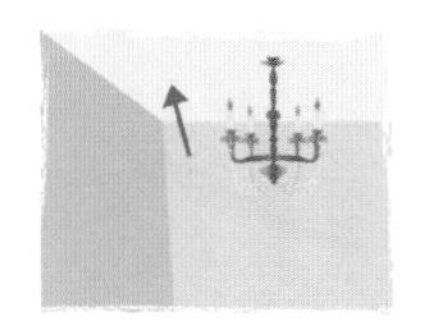

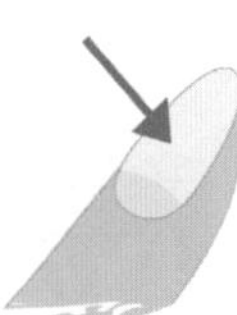

☐ fond — ci ☐ — ☐ ssade — on ☐ — cer ☐

Très bien ☐ Assez bien ☐ Pas assez bien ☐

30 Le son « ill »

J'observe et je retiens

fille
fille

billet
billet

papillon
papillon

f → ille → fille
b → ille → bille
p → ille → pille
t → ille → tille

► J'entends « **ill** ».
► Je vois **ill**, *ill*.

ill → et → illet
ill → a → illa
ill → on → illon
ill → o → illo

Je m'entraîne

1 Entoure le dessin quand tu entends le son « ill ».

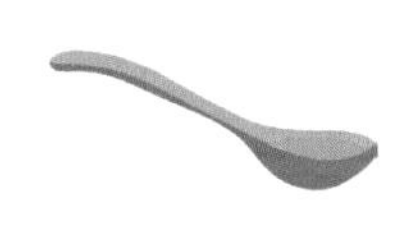

2 Entoure le mot qui correspond à chaque dessin.

fille
bille
quille
grille

grillon
grillage
maquillage
coquillage

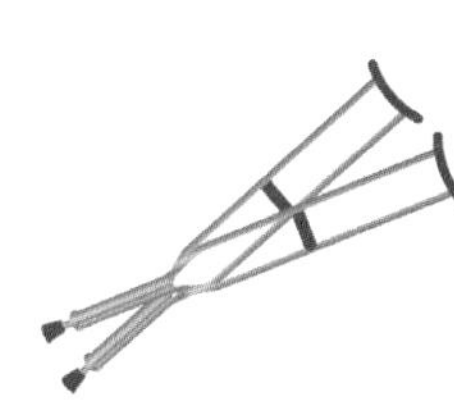

vanille
torpille
brindille
béquille

3 Découpe les étiquettes à la fin de ton cahier, puis complète les mots en collant chaque étiquette à l'emplacement qui convient.

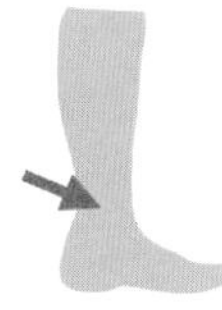

go ☐ len ☐ che ☐ che ☐ jon ☐

Pour l'adulte
C'est le doublement de la lettre *l* qui modifie le son. Proposez à l'enfant la lecture des mots suivants : *file – fille – bille – bile – pile – pille – pilla – pila.*

As-tu réussi tes exercices ?

Très bien ☐ **Assez bien** ☐ **Pas assez bien** ☐

31 elle – ette – esse – erre

J'observe et je retiens

poubelle

poubelle

galette

galette

tresse

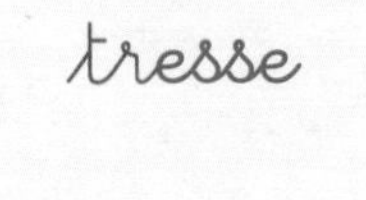

tresse

verre

verre

b → **elle** → belle
p → **elle** → pelle

l → **ette** → lette
n → **ette** → nette

r → **esse** → resse
m → **esse** → messe

v → **erre** → verre
s → **erre** → serre

Je m'entraîne

1 Entoure le son que tu entends.

elle ette **esse erre** **elle esse** **ette erre** **esse ette**

2 Entoure le mot qui correspond à chaque dessin.

guerre
pierre
serre
terre

épuisette
étiquette
violette
voilette

princesse
maîtresse
kermesse
forteresse

3 Découpe les étiquettes à la fin de ton cahier, puis complète les mots en collant chaque étiquette à l'emplacement qui convient.

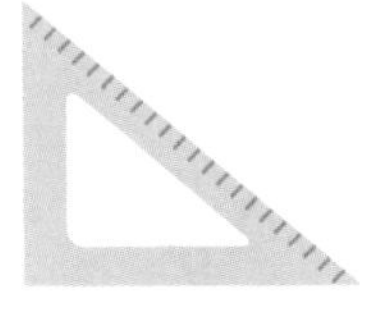

é  ju ☐ ba ☐ a  cre ☐

Très bien ☐ Assez bien ☐ Pas assez bien ☐

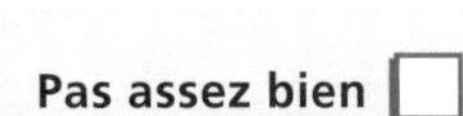

Nouveau
Cahier du jour
Cahier du soir

Français CP

LIVRET DÉTACHABLE

Corrigés

• Une fois les exercices terminés, l'enfant consultera les **corrigés**. Dans un premier temps, il faudra s'assurer qu'il a compris la **cause de son erreur** ; si ce n'est pas le cas votre aide lui sera précieuse.

• Ensuite, à la fin de chaque page, **l'enfant s'auto-évaluera** en répondant à la question **« As-tu réussi tes exercices ? »** et en cochant la case correspondant à ses résultats.
– Si la majorité des exercices est juste, l'enfant cochera la case « Très bien ».
– S'il a à peu près autant d'exercices justes que d'exercices faux, il indiquera « Assez bien ».
– S'il a plus d'exercices faux que d'exercices justes, il cochera la case « Pas assez bien ».

Grâce à cette petite rubrique, l'enfant apprendra à évaluer son travail et à progresser sans jamais se décourager. S'il a coché la case « Pas assez bien », rassurez-le en lui disant que l'essentiel n'est pas le résultat mais la compréhension des erreurs commises.

LECTURE

1. Les lettres : minuscules et majuscules

1 

2 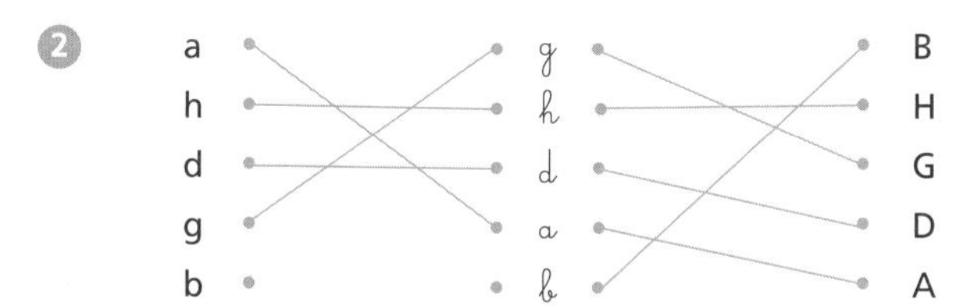

3 À corriger avec l'aide d'un adulte.

2. Les lettres : consonnes et voyelles

1 seau : 4 lettres (s-e-a-u) – moto : 3 lettres (m-o 2 fois et t) – papillon : 6 lettres (p 2 fois, a-i-l 2 fois et o-n).

2
robinet a (b) c d (e) f g h (i) j k l m (n) (o) p q (r) s (t) u v w x y z
parapluie (a) b c d (e) f g h (i) j k (l) m n o (p) q (r) s t (u) v w x y z

3 c h (a) p (e) (a) (u) – t r (a) c t (e) (u) r

4 salade : 3 consonnes (s-l-d) et 2 voyelles (a 2 fois et e) – arrosoir : 2 consonnes (r 3 fois et s) et 3 voyelles (a-o 2 fois et i).

3. Les sons « a », « e », « i »

1 On entend le son « a » dans : banane – avion – valise.

2 On entend le son « e » dans : cheminée – requin ; on entend le son « i » dans : nid – domino – cheminée.

3 genou – ananas – biberon – cerise

4. Les sons « o » et « u »

1 On entend le son « o » dans : piano – lavabo – moto.

2 On entend le son « u » dans : grue – mur – ceinture.

3 jupe – nuage – stylo – pull – domino

5. Les sons « p » et « b »

1 On entend le son « p » dans : pile – poupée – lampe.

2 On entend le son « b » dans : boîte – bougie.

3 tapis – compas – crabe – sabot – bateau

6. Les sons « t » et « d »

1 On entend le son « t » dans : timbre – tente – téléphone.

2 On entend le son « d » dans : doigt – dix – douche.

3 table – dame – tigre – tomate – dos

7. Les sons « l » et « r »

1 On entend le son « l » dans : ballon – bol – chocolat – collier.

2 On entend le son « r » dans : raisin – carré – réveil.

3 île – rame – luge – cerise – tirelire

8. Les sons « é » et « ê »

1 On entend le son « é » dans : araignée – éponge – nez.

2 On entend le son « ê » dans : peigne – flèche – fenêtre.

3 pédale – pêcheur – arête – élève – téléphone

9. Les sons « m » et « n »

1 On entend le son « m » dans : main – montagne – allumette.

2 On entend le son « n » dans : bonnet – genou – ananas.

3 nid – banane – domino – cheminée – manège

10. Le son « ou »

1 On entend le son « ou » dans : poussin – bouchon – couteau.

2 bouche – poule – loup

3 loupe – moulin – douze – bouton – poupée

11. Les sons « f » et « v »

1 On entend le son « f » dans : feu – fusée.

2 On entend le son « v » dans : cheveu – vingt – volet – avion.

3 lavabo – fumée – farine – filet – violon

12. Les sons « k » et « g »

1 On entend le son « k » dans : cœur – camion – cochon.

2 On entend le son « g » dans : guitare – glace – bague.

3 cube – coude – gare – figure – kangourou

13. Le son « on »

1 On entend le son « on » dans : savon – bouchon – papillon – trompette.

2 montre – ronde – bâton

3 melon – héron – onze – confiture – éponge

14. Les sons « an » et « in »

1 On entend le son « an » dans : champignon – jambon – serpent.

2 On entend le son « in » dans : ceinture – pain – requin.

3 volant – marin – lapin – ruban – pantalon

15. Le son « ch »

1 On entend le son « ch » dans : mouchoir – chaussure – château.

2 ruche – louche – chemin

3 chat – vache – chocolat – cochon – bûcheron

16. Le son « j »

1 On entend le son « j » dans : singe – jumelles – nuage.

2 bougie – journal – page

3 joue – judo – manège – orange – pyjama

17. Le son « s »

1 On entend le son « s » dans : poisson – seau – six.

2 sabot – souris – cinéma

3 savon – sirop – soucoupe – sandale – pince

18. Le son « z »

1 On entend le son « z » dans : fusil – maison – valise.

2 rose – trésor – prison

3 usine – raisin – trapèze – dizaine – bison

19. Le son « oi »

1 On entend le son « oi » dans : étoile – armoire – oiseau – boîte.

2 noix – voile – roi

3 ardoise – poids – poire – chamois – arrosoir

20. Les sons « eu » et « eur »

1 On entend le son « eu » dans : queue – cheveu.

2 euro – classeur – meuble

3 chasseur – danseuse – voleur – tondeuse – chanteur

21. Le son « gn »

1 On entend le son « gn » dans : champignon – baignoire – montagne.

2 vigne – chignon – poignée

3 cigogne – poignet – ligne – beignet – peignoir

22. *an* et *na* – *on* et *no* – *in* et *ni*

1 On entend *an* dans banc ; *no* dans piano ; *ni* dans nid ; *na* dans nappe ; *in* dans moulin.

2 chemise – animal – canne

3 domino – pantalon – narine – incendie

23. *ar, or, ur...* – *ac, oc, uc...*

1 On entend *ar* dans tarte ; *ru* dans ruban ; *ac* dans lac ; *or* dans porte ; *ri* dans cerise.

2 café – larme – foulard

3 barbe – roulotte – fourmi – facteur

24. *as, is, os...* – *al, il, ol...*

1 On entend *sa* dans sac ; *os* dans poste ; *al* dans journal ; *su* dans sucre ; *ol* dans soldat.

2 pile – lustre – escalier

3 asperge – moustique – escargot – salade

25. *car* et *cra...* – *tor* et *tro...*

1 On entend *car* dans cartable ; *cro* dans crocodile; *dra* dans drapeau ; *por* dans porte ; *pri* dans prison.

2 crapaud – tartine – corbeau

3 cravate – tricot – traversin – tarte – autocar

26. *ien* et *ein* – *ian* et *ain*

1 On entend *ien* dans musicien ; *ian* dans viande ; *ien* dans chien ; *ein* dans frein ; *ain* dans train.

2 main – gardien – ceinture

3 indien – magicien – peinture – triangle

27. *pr* et *br* – *tr* et *dr*

1 On entend *dr* dans drapeau ; *br* dans bras ; *br* dans arbre ; *tr* dans trousse ; *br* dans brosse.

2 brioche – cadran – brebis

3 prune – branche – bracelet – ventre – dromadaire

28. *fr* et *vr* – *cr* et *gr*

1 On entend *cr* dans crocodile ; *vr* dans lèvre ; *cr* dans crapaud ; *fr* dans chiffre ; *cr* dans crevette.

2 cravate – croix – fraise

3 griffe – crinière – lièvre – crochet – fromage

29. *pl* et *bl* – *cl* et *gl*

1 On entend *bl* dans tableau ; *cl* dans clé ; *pl* dans plume ; *gl* dans triangle et glace.

2 planche – plongeur – clou

3 plafond – cible – glissade – ongle – cercle

Mémento visuel
Français CP

À détacher et à conserver toute l'année !

Lire et écrire des sons

Le son « a »

ananas

Le son « u »

lune

Le son « e »

cheval

Le son « i »

lit

stylo

Le son « ou »

pouce

Le son « o »

moto

bateau

landau

Le son « p »

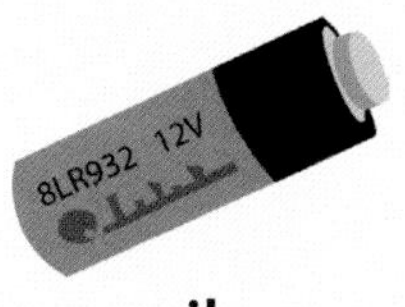

pile

Le son « b »

balai

Lire et écrire des sons

Lire et écrire des sons

Lire et écrire des sons

Le son « ch »

chat

Le son « j »

jupe

genou

Le son « s »

sapin

six

citron

Le son « z »

maison

onze

Le son « eu »

feu

nœud

Le son « gn »

peigne

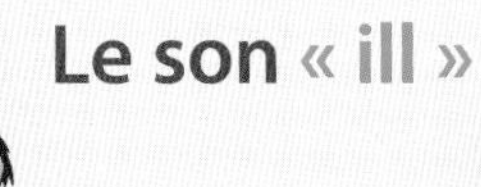

Le son « ill »

fille

papillon

Les lettres muettes

Ce sont des lettres que l'on n'entend pas.

La lettre h

un hibou

un cahier

D'autres lettres muettes

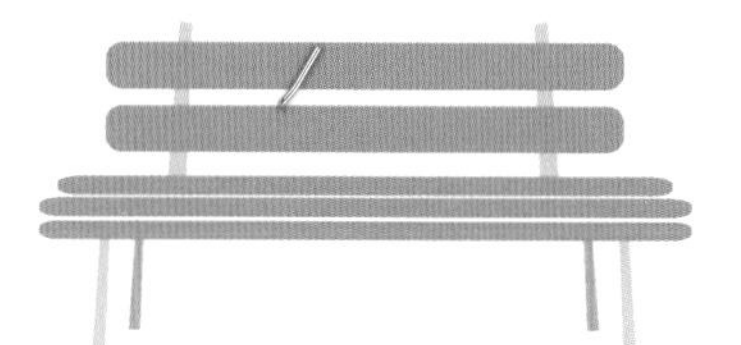

un banc

un canard

un loup

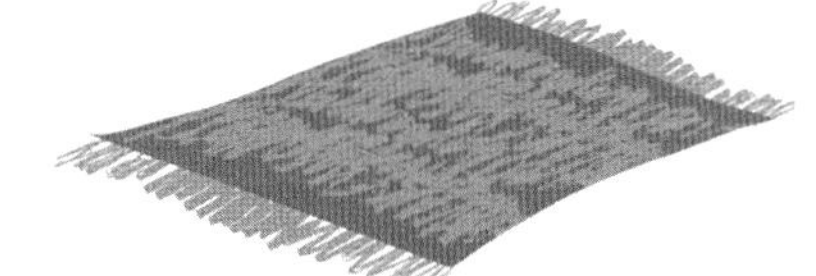

un tapis

La phrase

La phrase est **une suite de mots** qui a un sens.

La phrase commence par une lettre majuscule.

La phrase se termine par un point.

Le chat noir attrape une souris.

Le **nom** est un mot qui désigne un animal, une personne, une chose, un endroit.

Les **déterminants** sont des petits mots placés devant les noms. Les déterminants *le, la, l', les, un, une, des* sont appelés **articles**.

L'**adjectif** donne des renseignements sur le nom.

Le **verbe** est le mot qui dit ce que fait le nom « chat ».

Le masculin et le féminin

Noms masculins

un garçon
le vélo
l' éléphant

Articles masculins

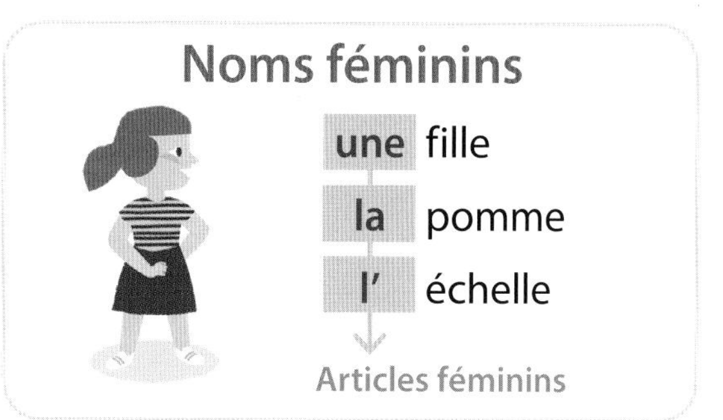

Noms féminins

une fille
la pomme
l' échelle

Articles féminins

**Pour mettre un nom au féminin, le plus souvent,
on ajoute un e à la fin du nom masculin.**

le marchand → la marchande un ami → une amie l'habitant → l'habitante

Le singulier et le pluriel

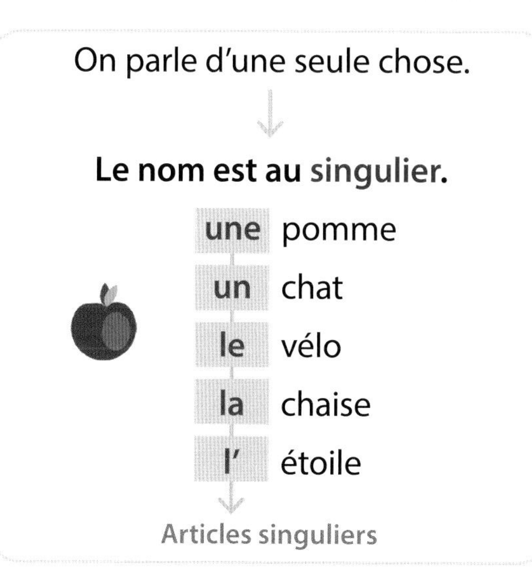

On parle d'une seule chose.

↓

Le nom est au singulier.

une pomme
un chat
le vélo
la chaise
l' étoile

Articles singuliers

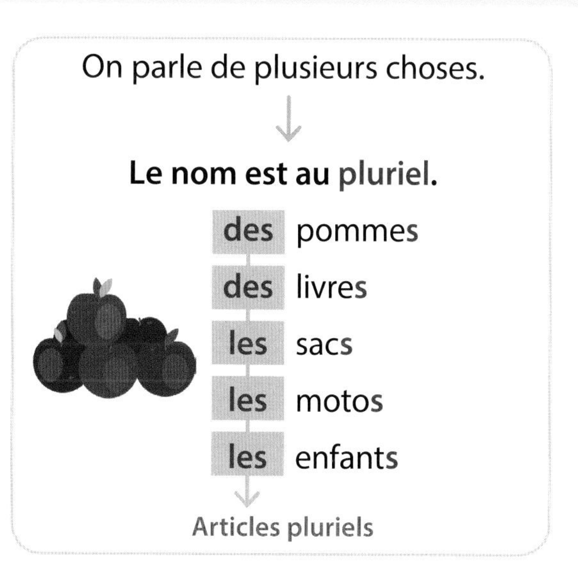

On parle de plusieurs choses.

↓

Le nom est au pluriel.

des pommes
des livres
les sacs
les motos
les enfants

Articles pluriels

**Pour mettre un nom au pluriel, le plus souvent,
on ajoute un s à la fin du nom masculin.**

le marchand → les marchands la marchande → les marchandes

Passé, présent, futur

Le passé

Hier, il **chantait**. → C'est le verbe ***chanter*** à l'imparfait.
Hier, il **a chanté**. → C'est le verbe ***chanter*** au passé composé.

Le présent

Maintenant, il **chante**. → C'est le verbe ***chanter*** au présent.

Le futur

Demain, il **chantera**. → C'est le verbe ***chanter*** au futur.

Le verbe *être*

Présent

Aujourd'hui, je **suis** à la maison.
elles **sont** à la maison.

Futur

Demain, je **serai** à la mer.
tu **seras** à la mer.

Imparfait

Hier, tu **étais** à l'école.
ils **étaient** à l'école.

Passé composé

Hier, tu **as été** sage.
elle **a été** sage.

Le verbe *avoir*

Présent

Aujourd'hui, j'**ai** mal aux dents.
ils **ont** mal aux dents.

Futur

Demain, j'**aurai** sept ans.
tu **auras** sept ans.

Imparfait

Hier, tu **avais** chaud.
elles **avaient** chaud.

Passé composé

Hier, tu **as eu** froid.
elles **ont eu** froid.

30. Le son « ill »

1. On entend le son « ill » dans : aiguille – cuillère – quille.
2. fille – grillage – béquille
3. gorille – lentilles – chenille – cheville – jonquille

31. *elle – ette – esse – erre*

1. On entend *elle* dans coccinelle ; *erre* dans pierre ; *esse* dans maîtresse ; *ette* dans trompette ; *ette* dans allumette.
2. terre – épuisette – forteresse
3. équerre – jumelles – baguette – adresse – crevette

32. *oin* et *oi – ion*

3. On entend le son « oin » dans : moins – poing.
2. point – champion – foin
3. camion – pois – lampion – poireau – pointe

33. Une lettre pour plusieurs sons : *x*

1. On entend le son « s » dans soixante-dix ; on entend le son « ks » dans boxeur ; on entend le son « z » dans dixième ; on entend le son « gs » dans xylophone (peut aussi se prononcer « ks »).
2. taxi – exploratrice – lynx
3. index – soixante – explosion – xylophone

34. Une lettre pour plusieurs sons : *y*

1. On entend le son « i » dans : labyrinthe – stylo – xylophone ; on entend le son « ill » dans : yoyo – noyau.
2. cygne – lys – voyageur
3. bicyclette – tuyau – gruyère – pyramide

GRAMMAIRE

35. La phrase

1. 1. La tempête a déraciné des arbres. 2. Le jardin est recouvert de neige. 3. Il faut tondre la pelouse. 4. Une branche gêne le passage des vélos dans l'allée.
2. 1. Un ouvrier taille les arbres du parc de la mairie. 2. Le vent abîme les fleurs du jardin.
3. 1. Éva fait un bouquet de roses. 2. Le cerisier est recouvert de fleurs blanches.

36. Le nom et le verbe

1. guêpe – chien – serpent – araignée – toile – ours – poisson – chevaux – clôture – oiseaux – arbre
2. À corriger avec l'aide d'un adulte. Exemples de réponses : Une souris se cache dans la cave. Le chien a mordu un enfant.
3. promène – rentre – achète – traverse
4. À corriger avec l'aide d'un adulte. Exemples de réponses : Le cheval galope dans le pré. Une tortue marche dans l'herbe.

37. Le nom et ses déterminants

1. 1. Des écureuils habitent dans l'arbre. 2. Un bûcheron coupe des branches. 3. Les vaches donnent du lait.
2. L'<u>enfant</u> observe les <u>champignons</u>. Un <u>canard</u> plonge dans l'<u>eau</u>. Une <u>rivière</u> traverse le <u>village</u>. Le <u>lac</u> déborde dans les <u>champs</u>. Des <u>sangliers</u> vivent dans la <u>forêt</u>. Le <u>promeneur</u> ramasse du <u>bois</u>.
3. Exemples de réponses : Le chat joue avec les papillons. Les pommes tombent de l'arbre.
4.

Des	plante	regarde	la	poissons.
Un	nuages	décore	les	mur.
Une	oiseau	annoncent	du	pain.
L'	pêcheur	mange	le	pluie.

38. L'adjectif

1. gros/gris – joli/coloré – chaud/lumineux
2. une grosse souris – un jeune garçon – un vieux vélo
3. une pomme verte – un café chaud – un livre neuf

ORTHOGRAPHE

39. Les différentes écritures du son « o »

1. moto – taureau – maison – oiseau – bougie
2. soleil – chaussette – bureau – épaule – manteau
3. couteau – autruche – drapeau – chameau

40. Les différentes écritures du son « ê »

1. aigle – main – oreille – forêt – élève
2. peigne – laitue – fontaine – fenêtre – chèvre
3. sirène – raisin – pêche – neige

41. Les différentes écritures du son « s »

1. souris – poisson – carte – balançoire – cerise
2. cinéma – pouce – sapin – lasso – glaçon
3. saucisson – hameçon – piscine – cerceau

42. Les différentes écritures du son « f »

1. fourmi – phare – hache – neuf – buffet
2. bœuf – dauphin – phoque – affiche – girafe
3. griffe – café – dentifrice – éléphant

43. Les différentes écritures du son « k »

1. cube – coq – kiwi – queue – cible
2. casque – kimono – quatre – crocodile – crevette
3. crabe – coquelicot – kangourou – cartable

44. Les différentes écritures du son « an »

1. temple – chemise – canard – enfant – champignon
2. camembert – ventilateur – jambon – orange – tente
3. chambre – ambulance – fantôme – dentifrice

45. Les différentes écritures du son « in »

1. coussin – imperméable – reine – frein – train
2. romain – timbale – poulain – requin – peintre
3. épingle – chimpanzé – écrivain – peinture

46. Les différentes écritures du son « on »

1. ballon – bonnet – pompon – tomate – pantalon
2. ombre – ongle – compas – éponge – trompette
3. compote – trompe – montagne – bûcheron

47. La lettre *h*

1. thé – dauphin – hôtel – fourchette – panthère
2. hamac – photographe – chameau – hôpital – phare
3. chaîne – éléphant – thermomètre – haricot

48. Les lettres muettes

❶ escargot – tennis – lézard – neuf – doigt

❷ pot – pas – camp – lait

❸ canard – banc – tapis – loup – croissant

49. Le masculin et le féminin des noms

❶ le téléphone – un papillon – l'éléphant

❷ la salade – une tortue – l'échelle

❸ une blessée – une ennemie – une amie – une renarde – la géante – la cousine – l'habitante – l'absente

50. Le singulier et le pluriel des noms

❶ un œuf – la pomme – l'oiseau

❷ les chapeaux – des ballons – les seaux

❸ les réveils – les livres – les écureuils – les tables – des perles – les enfants – des chats – des pierres

51. Le féminin et le pluriel des adjectifs

❶ petite – grise – salée – dure – lourde – grande

❷ une voiture bleue – une porte fermée – une panthère noire – une poire mûre

❸ des œufs durs – des verres pleins – des garçons blonds – des chaises hautes – des soupes chaudes – des pommes rouges

CONJUGAISON

52. Les verbes du 1er groupe

❷ Je regarde – Tu regardes – Elle regarde – Nous regardons – Vous regardez – Ils regardent.

❸ Je danserai – Tu danseras – Il dansera – Nous danserons – Vous danserez – Elles danseront.

❹ Je coupais – Tu coupais – Elle coupait – Nous coupions – Vous coupiez – Ils coupaient.

❺ J'ai rêvé – Tu **as** rêvé – Elle a rêvé – Nous **avons** rêvé – Vous **avez** rêvé – Elles **ont** rêvé.

53. Le verbe *avoir*

❷ Aujourd'hui, elle **a** mal aux dents. – tu **as** un beau pull. – ils **ont** un petit frère. – vous **avez** froid. – j'**ai** un chien. – nous **avons** très froid.

❸ 1. Dans un an, elle **aura** un vélo neuf. – 2. Demain, les élèves **auront** un nouveau maître. – 3. Bientôt, j'**aurai** un cadeau de ma sœur. – 4. Le mois prochain, nous **aurons** un grand lit. – 5. Dans le futur, tu **auras** une voiture. – 6. Plus tard, vous **aurez** des enfants.

❹ 1. Tu **avais** chaud. – 2. Elle **avait** chaud. – 3. J'**avais** chaud. – 4. Ils **avaient** chaud. – 5. Vous **aviez** chaud. – 6. Nous **avions** chaud.

❺ 1. Il **a** eu soif. – 2. Vous avez **eu** soif. – 3. J'ai **eu** soif.

54. Le verbe *être*

❷ Aujourd'hui, tu **es** en Espagne. – le chat **est** sur le canapé. – nous **sommes** à la piscine. – je **suis** dans ma chambre. – les trains **sont** en retard. – vous **êtes** dans la cour.

❸ 1. Dans un an, elle **sera** au collège. – 2. Bientôt, tu **seras** à l'école avec ta sœur. – 3. Dans un mois, les footballeurs **seront** au repos. – 4. Demain, vous **serez** au bord de la mer. – 5. Dans le futur, je **serai** pilote de course. – 6. Dans deux jours, nous **serons** à Nice.

❹ 1. Tu **étais** à Paris – 2. Elles **étaient** à Paris. – 3. J'**étais** à Paris.

❺ 1. Il a **été** sage. – 2. J'ai été sage. – 3. Tu **as** été sage. – 4. Vous avez **été** sages. – 5. Les enfants **ont été** sages.

55. Le présent des verbes *faire, aller, dire* et *venir*

❷ 1. Nous **faisons** la cuisine. – 2. Je **fais** ma toilette. – 3. Elles **font** du vélo. – 4. Tu **fais** tes devoirs. – 5. Il **fait** un gâteau. – 6. Vous **faites** de la marche.

❸ 1. Le chien **va** dans sa niche. – 2. Vous **allez** déjeuner. – 3. Je **vais** au marché. – 4. Nous **allons** chez le coiffeur. – 5. Les filles **vont** au gymnase. – 6. Tu **vas** dans ta chambre.

❹ 1. Tu **dis** des bêtises. – 2. Elle **dit** « au revoir ». – 3. Nous **disons** « merci ». – 4. Vous **dites** « à bientôt ». – 5. Ils **disent** la vérité. – 6. Je **dis** un secret.

❺ 1. Ils **viennent** d'arriver. – 2. Je **viens** de me lever. – 3. Vous **venez** à pied. – 4. Tu **viens** de partir. – 5. Elle **vient** de manger. – 6. Nous **venons** te voir.

56. Le présent des verbes *pouvoir, voir, vouloir* et *prendre*

❷ 1. Il **peut** courir très vite. – 2. Nous **pouvons** ranger les livres. – 3. Elles **peuvent** manger une glace. – 4. Je **peux** faire mon lit. – 5. Vous **pouvez** jouer sur la plage. – 6. Tu **peux** apprendre ta poésie.

❸ 1. Tu **vois** ton oncle. – 2. Nous **voyons** la course. – 3. Les filles **voient** un spectacle. – 4. Il **voit** un vol de cigognes. – 5. Vous **voyez** vos amis. – 6. Je **vois** la mer.

❹ 1. Elles **veulent** voir le match. – 2. Elle **veut** faire du vélo. – 3. Nous **voulons** aller à Paris. – 4. Je **veux** rentrer. – 5. Vous **voulez** partir. – 6. Tu **veux** manger.

❺ 1. Je **prends** mes livres. – 2. Ils **prennent** le train. – 3. Vous **prenez** du pain. – 4. Tu **prends** l'avion. – 5. Nous **prenons** un dessert. – 6. Il **prend** ses affaires.

VOCABULAIRE

57. Regrouper des mots

❶ Mots de la rue : trottoir – taxi – carrefour ; mots de la maison : chambre – cuisine – lit ; mots du sport : arbitre – ballon – raquette ; mots de la forêt : champignon – buisson – feuille.

❷ 1. Les meubles – Propositions de mots : commode, chaise, fauteuil, etc. – 2. Les aliments – Propositions de mots : courgette, eau, pâtes, etc. – 3. Les arbres – Propositions de mots : platane, bouleau, poirier, etc.

58. Les familles de mots

❶ dent → dentiste ; épice → épicier ; livre → livret ; savon → savonnette ; douze → douzaine.

❷ 1. australien – 2. algérien – 3. tunisien – 4. norvégien – 5. autrichien – 6. canadien

❸ 1. fillette – 2. affichette – 3. jupette – 4. chemisette – 5. vachette

ÉCRITURE

59. Transcrire des phrases en écriture cursive

❶ et ❷ À corriger avec l'aide d'un adulte.

32 oin et oi – ion

J'observe et je retiens

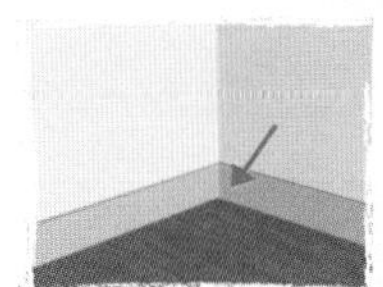

coin

coin

▶ J'entends « **oin** ».
▶ Je vois **oin**, *oin*.

c → **oin** → coin
p → **oin** → poin

étoile

étoile

▶ J'entends « **oi** ».
▶ Je vois **oi**, *oi*.

t → **oi** → toi
l → **oi** → loi

lion

lion

▶ J'entends « **ion** ».
▶ Je vois **ion**, *ion*.
▶ Dans « **ion** », on entend d'abord le son « **i** ».

Je m'entraîne

1 Entoure en rouge quand tu entends le son « oin ».

6 – 2

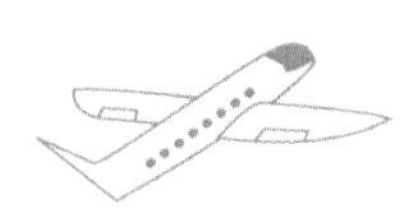

3

2 Entoure le mot qui correspond à chaque dessin.

rouge.

pont
point
poids
pion

champion
télévision
fanion
réunion

soin
toit
foin
foie

3 Découpe les étiquettes à la fin de ton cahier, puis complète les mots en collant chaque étiquette à l'emplacement qui convient.

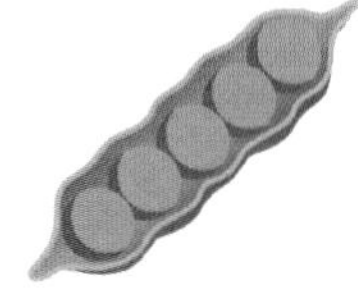

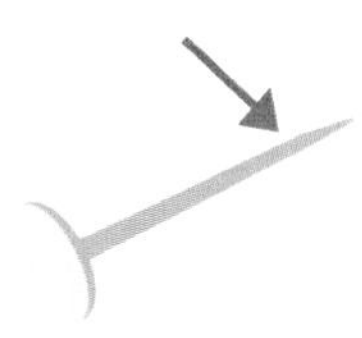

☐ m ☐   p ☐ s   lamp ☐   ☐ reau   p ☐ ☐

Très bien ☐   Assez bien ☐   Pas assez bien ☐

33 Une lettre pour plusieurs sons : *x*

J'observe et je retiens

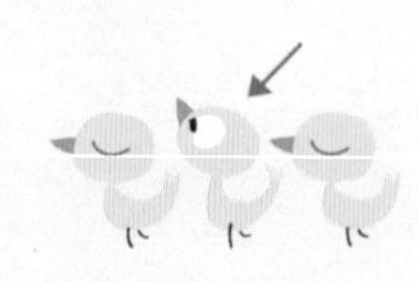

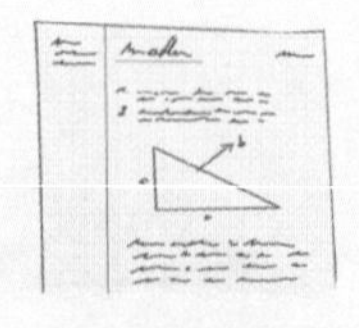

dix	deuxième	boxeur	exercice
dix	*deuxième*	*boxeur*	*exercice*

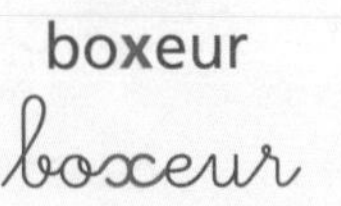

▶ J'entends **«s»**. ▶ J'entends **«z»**. ▶ J'entends **«ks»**. ▶ J'entends **«gs»**.

▶ C'est en prononçant le mot que l'on va trouver le son produit par la lettre ***x***. Attention, ***x*** ne s'entend pas à la fin de certains mots (exemple : *un prix*).

Je m'entraîne

1 Entoure en rouge quand tu entends le son «s», en bleu quand tu entends le son «z», en vert quand tu entends le son «ks» et en jaune quand tu entends le son «gs».

70

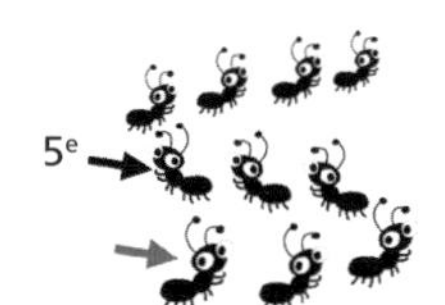

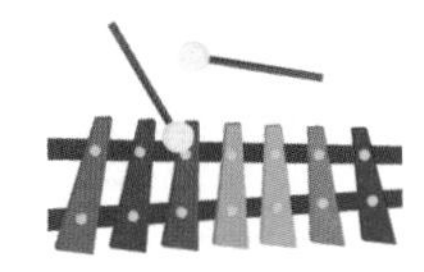

2 Entoure le mot qui correspond à chaque dessin.

fax
taxe
axe
taxi

exploratrice
extérieur
exercice
exemple

lynx
fox
box
silex

3 Découpe les étiquettes à la fin de ton cahier, puis complète les mots en collant chaque étiquette à l'emplacement qui convient.

60

in ☐ ☐ ☐ te ☐ plosion ☐ ☐ pho ☐

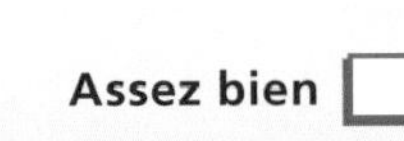

Très bien ☐ Assez bien ☐ Pas assez bien ☐

34 Une lettre pour plusieurs sons : *y*

J'observe et je retiens

pyjama

pyjama

yaourt

yaourt

crayon

crayon

▶ J'entends **« i »**.

▶ J'entends **« ill »**.

▶ J'entends **« ill »**.

« i » y = i pyjama

« ill » y = i yaourt (ia)

« ill » y = i i crayon (ai ion)

Je m'entraîne

1 Entoure en rouge quand tu entends le son « i » et en bleu quand tu entends le son « ill ».

2 Entoure le mot qui correspond à chaque dessin.

type
cygne
voyelle

lynx
nylon
lys

voyageur
rayure
noyé

3 Découpe les étiquettes à la fin de ton cahier, puis complète les mots en collant chaque étiquette à l'emplacement qui convient.

 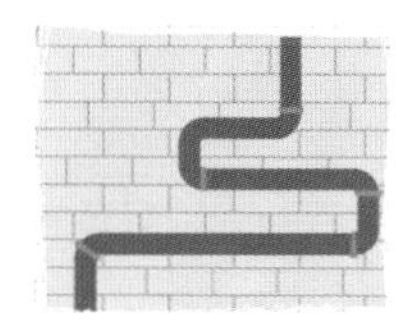 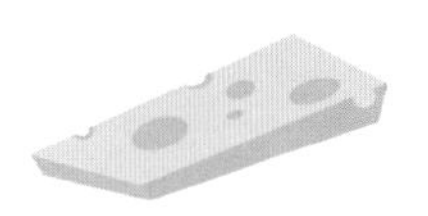 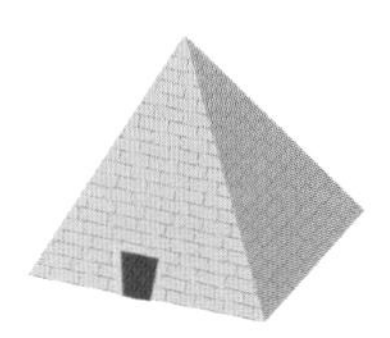

☐ ☐ clette

tu 

gru  re

 ☐ ☐ mi ☐

35 La phrase

J'observe et je retiens

■ La phrase commence par une **lettre majuscule** et se termine par un **point**.

Le jardinier plante des fleurs.

Exemples

1 Le jardinier creuse un trou.
Cette suite de mots a un sens.

2 Le fleur plante vélo des élèves.
Cette suite de mots n'a pas de sens.

La phrase est une suite de mots qui a un **sens**.

Je m'entraîne

1 Écris les lettres majuscules et place les points.

1. ___a tempête a déraciné des arbres___
2. ___e jardin est recouvert de neige___
3. ___l faut tondre la pelouse___
4. ___ne branche gêne le passage des vélos dans l'allée___

2 Recopie les phrases en séparant les mots comme il convient.

1. Unouvriertaillelesarbresduparcdelamairie.

→ ______________________________

2. Leventabîmelesfleursdujardin.

→ ______________________________

3 Écris les phrases en remettant les mots dans l'ordre.

1. fait roses Éva . bouquet un de

→ ______________________________

2. Le recouvert fleurs . cerisier de est blanches

→ ______________________________

Pour l'adulte
Entraînez l'enfant à reconnaître des phrases dans un texte et à les entourer.

Très bien ☐ Assez bien ☐ Pas assez bien ☐

36 Le nom et le verbe

J'observe et je retiens

■ Le **nom** est un mot qui désigne une personne, un lieu, un animal (*chien*), une chose (*niche*).

Le **chien** dort dans la **niche.**

■ Le **verbe** est un mot qui dit ce que fait le nom : *le chat **saute***.

Le chat **saute** sur le lit.

Je m'entraîne

1 Entoure les noms.

La guêpe pique. Le chien mord. Le serpent nage.
Une araignée tisse une toile. L'ours attrape un poisson.
Les chevaux sautent la clôture. Des oiseaux sifflent sur l'arbre.

2 Complète les phrases avec un nom qui convient.

Une .... se cache dans la ....

Le .... a mordu un ....

3 Entoure les verbes.

La fille promène son chien. Le lion rentre dans sa cage.
Éva achète une souris. Un renard traverse la route.

4 Recopie les phrases en remplaçant le verbe par un autre verbe qui convient.

Le cheval mange dans le pré.

→ ....

Une tortue avance dans l'herbe.

→ ....

Très bien ☐ Assez bien ☐ Pas assez bien ☐

37 Le nom et ses déterminants

J'observe et je retiens

■ Les mots ***le – la – l' – un – une – du – les – des*** sont des **déterminants**.

Les poissons nagent.

■ Les mots qui sont précédés d'un déterminant sont des **noms**.

La fille marche sur **l'**herbe.

Je m'entraîne

1 Complète les phrases avec le déterminant qui convient.

1. (le – la – des – l') ________ écureuils habitent dans ________ arbre.
2. (une – un – des – du) ________ bûcheron coupe ________ branches.
3. (la – les – un – du) ________ vaches donnent ________ lait.

2 Souligne les noms.

L'enfant observe les champignons.
Une rivière traverse le village.
Des sangliers vivent dans la forêt.
Un canard plonge dans l'eau.
Le lac déborde dans les champs.
Le promeneur ramasse du bois.

3 À l'aide des dessins, complète les phrases avec des déterminants et des noms.

 ____ ________________ joue avec  ____ ________________

 ____ ________________ tombent de  ____ ________________

4 Retrouve les phrases en reliant les mots comme il convient.

Des •	• plante •	• regarde •	• la •	• poissons.
Un •	• nuages •	• décore •	• les •	• mur.
Une •	• oiseau •	• annoncent •	• du •	• pain.
L' •	• pêcheur •	• mange •	• le •	• pluie.

Très bien ☐ Assez bien ☐ Pas assez bien ☐

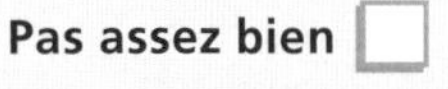

38 L'adjectif

J'observe et je retiens

■ L'adjectif **donne des renseignements** (de forme, de couleur…) sur le nom.

Exemples

Comment est la maison ?.

La maison est **grande**.
haute.
jolie.
neuve.

■ Les adjectifs peuvent s'écrire **avant ou après le nom**.

Exemples

une **grande** maison
une **jolie** maison
une maison **haute**
une maison **neuve**

Je m'entraîne

1 Entoure les deux adjectifs qui correspondent le mieux à chaque dessin.

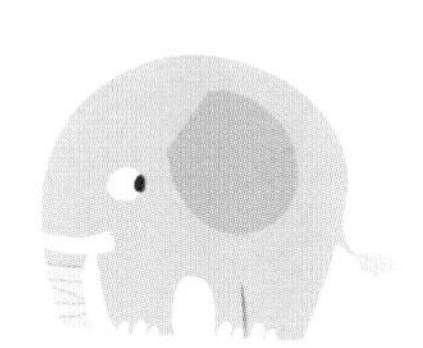

gros
petit
gris
rouge

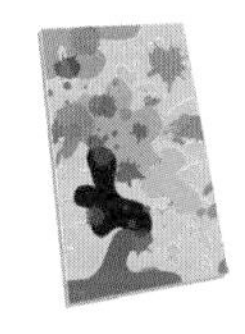

joli
court
bruyant
coloré

froid
chaud
noir
lumineux

2 Écris chaque adjectif avant le nom qui lui correspond : vieux – grosse – jeune.

une ______ souris

un ______ garçon

un ______ vélo

3 Écris chaque adjectif après le nom qui lui correspond : neuf – verte – chaud.

une pomme ______

un café ______

un livre ______

39 Les différentes écritures du son « o »

J'observe et je retiens

pot

pot

landau

landau

bateau

bateau

Le son « o » s'écrit **o**, *o* ; **au**, *au* ; **eau**, *eau*.

Je m'entraîne

1 Entoure les lettres qui produisent le son « o ».

m o t o

t a u r e a u

m a i s o n

o i s e a u

b o u g i e

2 Complète les mots avec : chau – pau – teau – reau – so.

......leil

......ssette

bu......

é......le

man......

3 Choisis les bonnes étiquettes pour écrire les mots correspondant à chaque dessin.

con	cou
teau	tan

au	che
tru	tur

peau	dar
pon	dra

cha	cho
mon	meau

......

Pour l'adulte

Attirez l'attention de l'enfant sur les mots dont la lettre *o* ne se prononce pas « o » (*loup, montre, toit, coin*...).

Très bien ☐ Assez bien ☐ Pas assez bien ☐

40 Les différentes écritures du son « ê »

J'observe et je retiens

tête
tête

manège
manège

chaise
chaise

baleine
baleine

Le son « ê » s'écrit ê, *ê* ; è, *è* ; ai, *ai* ; ei, *ei*.

Je m'entraîne

1 Entoure les lettres qui produisent le son « ê ».

a i g l e

m a i n

o r e i l l e

f o r ê t

é l è v e

2 Complète les mots avec tai – nê – lai – chè – pei.

.......gne

.......tue

fon.......ne

fe.......tre

.......vre

3 Choisis les bonnes étiquettes pour écrire les mots correspondant à chaque dessin.

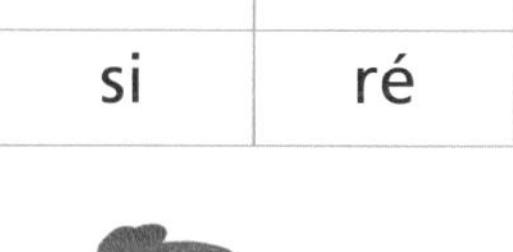

rè	ne
si	ré

rai	rin
sin	sai

pé	che
cle	pê

nei	ge
che	né

....

Très bien ☐ Assez bien ☐ Pas assez bien ☐

41 Les différentes écritures du son « s »

J'observe et je retiens

seau tasse berceau garçon scie

seau *tasse* *berceau* *garçon* *scie*

Le son « s » s'écrit **s**, *s* ; **ss**, *ss* ; **c**, *c* ; **ç**, *ç* ; **sc**, *sc*.

Je m'entraîne

1 Entoure les lettres qui produisent le son « s ».

s o u r i s

p o i s s o n

c a r t e

b a l a n ç o i r e

c e r i s e

2 Complète les mots avec çon – ci – sso – ce – sa.

.....néma

pou.....

.....pin

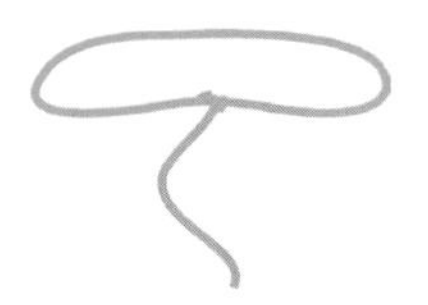
la.....

gla.....

3 Choisis les bonnes étiquettes pour écrire les mots correspondant à chaque dessin.

sau	san
sson	ci

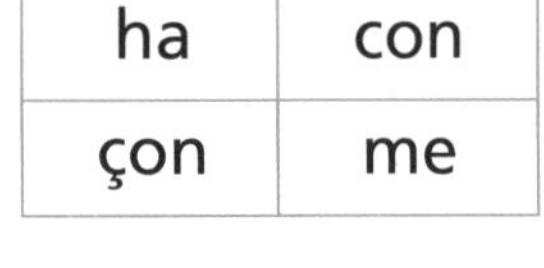

ha	con
çon	me

pi	ne
sci	pé

cer	ce
cre	ceau

....

Pour l'adulte
Le son « s » avec la lettre *t* n'est pas abordé au CP (*récréation*, *attention*).

Très bien ☐ Assez bien ☐ Pas assez bien ☐

42 Les différentes écritures du son « f »

J'observe et je retiens

fusée
fusée

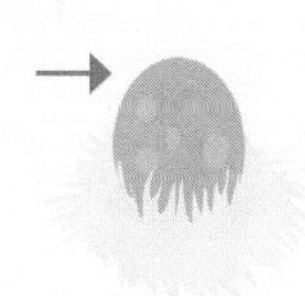

œuf
œuf

sifflet
sifflet

téléphone
téléphone

Le son « f » s'écrit f, *f* ; ff, *ff* ; **ph**, *ph*.

Je m'entraîne

1 Entoure les lettres qui produisent le son « f ».

f o u r m i

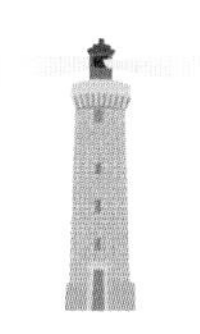

p h a r e

h a c h e

n e u f

b u f f e t

2 Complète les mots avec phin – ffi – f – fe – pho.

bœu.........

dau.........

.........que

a.........che

gira.........

3 Choisis les bonnes étiquettes pour écrire les mots correspondant à chaque dessin.

gir	ffe
gri	che

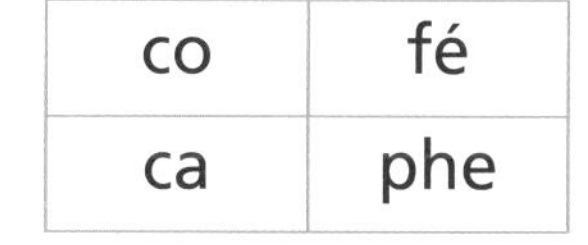

co	fé
ca	phe

fri	den
ti	ce

phant	é
lé	plant

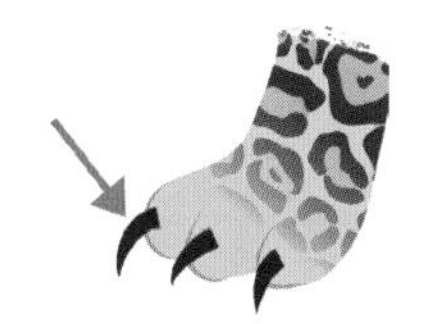

....

....

....

....

Très bien ☐ Assez bien ☐ Pas assez bien ☐

43 Les différentes écritures du son « k »

J'observe et je retiens

carotte
carotte

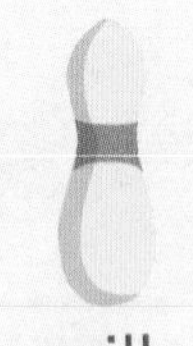

quille
quille

cinq
cinq

képi
képi

Le son « k » s'écrit **c**, *c* ; **qu**, *qu* ; **q**, *q* ; **k**, *k*.

Je m'entraîne

1 Entoure les lettres qui produisent le son « k ».

c u b e

c o q

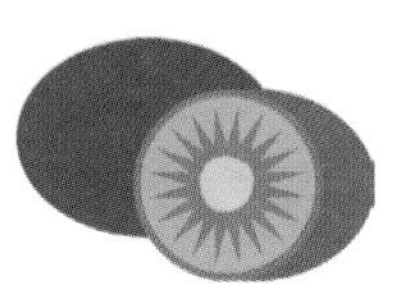

k i w i

q u e u e

c i b l e

2 Complète les mots avec co – qua – que – ki – cre.

cas.........

.........mono

.........tre

cro.........dile

.........vette

3 Choisis les bonnes étiquettes pour écrire les mots correspondant à chaque dessin.

car	pe
be	cra

co	cot
li	que

kan	rou
ron	gou

cra	car
ble	ta

....

....

....

Très bien ☐ Assez bien ☐ Pas assez bien ☐

44 Les différentes écritures du son « an »

J'observe et je retiens

volant
volant

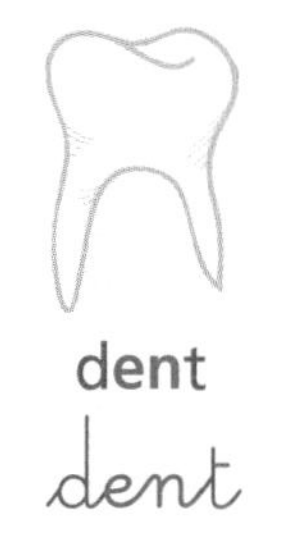
dent
dent

jambe
jambe

tempête
tempête

Le son « an » s'écrit **an**, *an* ; **en**, *en* ; **am**, *am* ; **em**, *em*.

Je m'entraîne

1 Entoure les lettres qui produisent le son « an ».

t e m p l e

c h e m i s e

c a n a r d

e n f a n t

c h a m p i g n o n

2 Complète les mots avec ten – ven – jam – ran – mem.

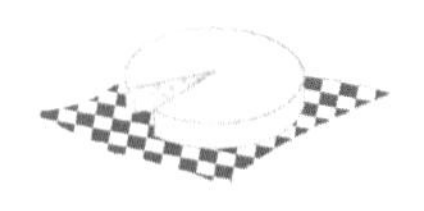
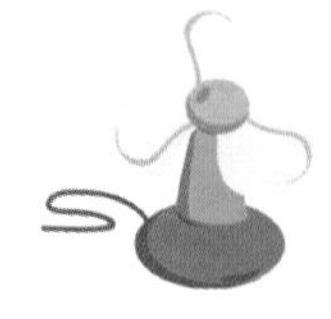
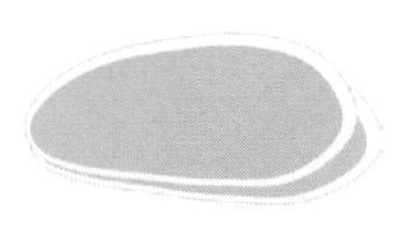

ca..........bert ....tilateur ....bon o..........ge ....te

3 Choisis les bonnes étiquettes pour écrire les mots correspondant à chaque dessin.

clan	bre
cham	pre

am	lan
ce	bu

van	ne	tô
fan	do	me

den	ten	fri
ce	ti	fir

....

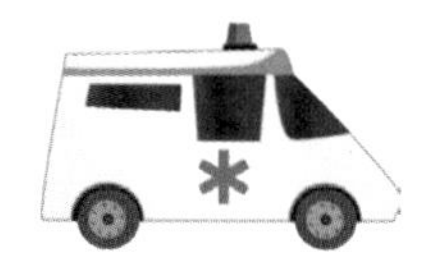
....

....

....

Très bien ☐ Assez bien ☐ Pas assez bien ☐

45 Les différentes écritures du son « in »

J'observe et je retiens

sapin
sapin

timbre
timbre

main
main

ceinture
ceinture

Le son « in » s'écrit **in**, *in* ; **im**, *im* ; **ain**, *ain* ; **ein**, *ein*.

Je m'entraîne

1 Entoure les lettres qui produisent le son « in ».

c o u s s i n

i m p e r m é a b l e

r e i n e

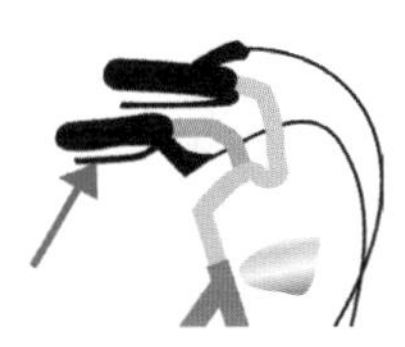

f r e i n

t r a i n

2 Complète les mots avec pein – quin – main – lain – tim.

ro............

............bale

pou............

re............

............tre

3 Choisis les bonnes étiquettes pour écrire les mots correspondant à chaque dessin.

é	gle
cle	pin

chim	pan
zé	clin

é	né	vain
cir	cri	cin

de	ten	tu
re	pein	tru

....

....

....

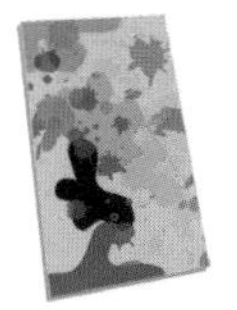

....

Très bien ☐ Assez bien ☐ Pas assez bien ☐

46 Les différentes écritures du son « on »

J'observe et je retiens

11

onze

onze

pont

pont

pompier

pompier

bombe

bombe

Le son « on » s'écrit **on**, *on* ; **om**, *om*.

Je m'entraîne

1 Entoure les lettres qui produisent le son « on ».

b a l l o n

b o n n e t

p o m p o n

t o m a t e

p a n t a l o n

2 Complète les mots avec pon – com – trom – om – on.

……bre

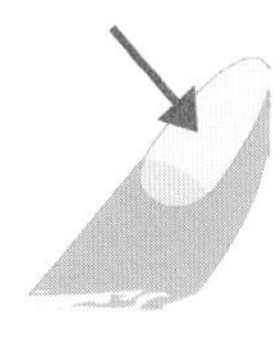

……gle

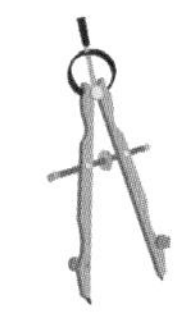

……pas

é……ge

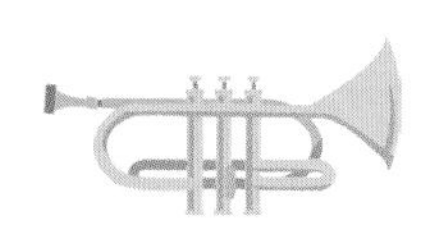

……pette

3 Choisis les bonnes étiquettes pour écrire les mots correspondant à chaque dessin.

po	com
con	te

pom	pe
trom	me

ge	te	mon
ta	gne	tom

pû	che	re
ron	chon	bû

……………………

……………………

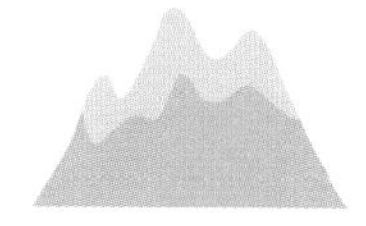

……………………

……………………

Très bien ☐ Assez bien ☐ Pas assez bien ☐

47 La lettre *h*

J'observe et je retiens

hibou
hibou

cahier
cahier

labyrinthe
labyrinthe

► La lettre *h* seule ne s'entend pas.

phoque
phoque

cheval
cheval

► Avec *p* et *c*, la lettre *h* permet d'écrire les sons « **ph** » et « **ch** ».

Je m'entraîne

1 Entoure la lettre *h* qui ne s'entend pas.

t h é

d a u p h i n

h ô t e l

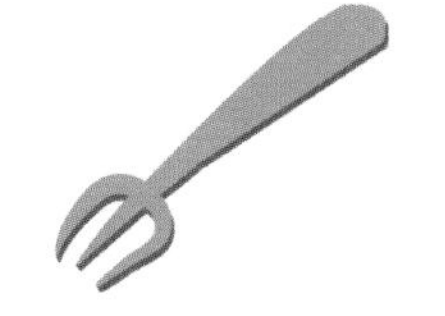

f o u r c h e t t e

p a n t h è r e

2 Complète les mots avec cha – pha – ha – hô – pho – phe.

.........mac

.........togra.........

.........meau

.........pital

.........re

3 Choisis les bonnes étiquettes pour écrire les mots correspondant à chaque dessin.

haî	phaî
ne	chaî

é	chant
phant	lé

cher	pher	mo
mè	ther	tre

ha	cha	cot
pha	ri	got

....

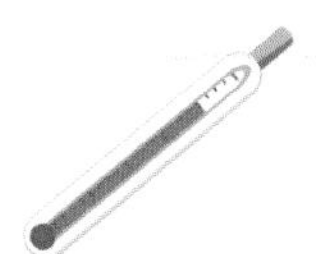

....

....

Très bien ☐ Assez bien ☐ Pas assez bien ☐

48 Les lettres muettes

J'observe et je retiens

souris

souris

parapluie

parapluie

► À la fin de certains mots, la ou les dernières lettres ne s'entendent pas. Ce sont des **lettres muettes**.

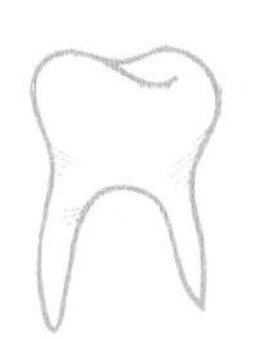

dent

dent

dentiste

dentiste

Les lettres muettes nous aident parfois à écrire d'autres mots de la même famille.

Je m'entraîne

1 Entoure les lettres muettes.

e s c a r g o t

t e n n i s

l é z a r d

n e u f

d o i g t

2 À l'aide de la liste de mots, écris correctement le mot correspondant au dessin.

poterie
potier
potager

____

passage
passant
passager

____

campeur
campagne
campagnol

____

laiterie
laitage
laitier

____

3 Complète les mots avec la lettre muette qui convient : t – c – s – d – p.

canar_____

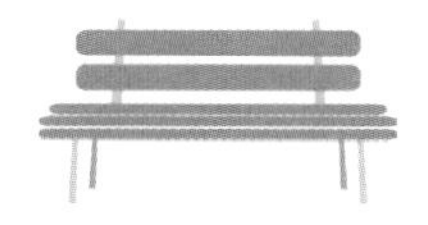

ban_____

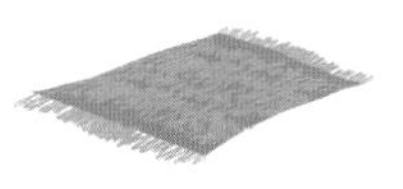

tapi_____

lou_____

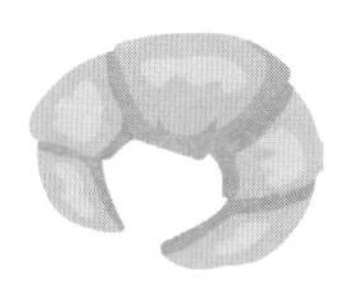

croissan_____

Très bien ☐ **Assez bien** ☐ **Pas assez bien** ☐

49 Le masculin et le féminin des noms

J'observe et je retiens

■ Un nom **masculin** est précédé d'un **déterminant masculin** : ***le* – *un* – *l'***.

Exemples
1 **le** chat
2 **un** vélo
3 **l'**avion

■ Un nom **féminin** est précédé d'un **déterminant féminin** : ***la* – *une* – *l'***.

Exemples
1 **la** lune
2 **une** table
3 **l'**étoile

■ En règle générale, pour écrire un nom au **féminin**, on met un **e** à la fin du nom masculin.

Exemple
un gamin → **une** gamin**e**

Le nom et le déterminant fonctionnent toujours ensemble.
Nom féminin → déterminant féminin ; nom masculin → déterminant masculin.

Je m'entraîne

1 **Relie chaque déterminant masculin au dessin qui convient.**

le •

un •

l' •

2 **Relie chaque déterminant féminin au dessin qui convient.**

la •

une •

l' •

3 **Écris les noms (et leurs déterminants) au féminin.**

un blessé → ....

un ennemi → ....

un ami → ....

un renard → ....

le géant → ....

le cousin → ....

l'habitant → ....

l'absent → ....

Très bien ☐ Assez bien ☐ Pas assez bien ☐

50 Le singulier et le pluriel des noms

J'observe et je retiens

■ Un nom **singulier** est précédé d'un **déterminant singulier** : ***le*** – ***la*** – ***un*** – ***une*** – ***l'***.

Exemples

1 **le** chat
un chat

2 **une** étoile

■ Un nom **pluriel** est précédé d'un **déterminant pluriel** : ***les*** – ***des***.

Exemples

1 **les** chats

2 **des** étoiles

■ En règle générale, pour écrire un nom au **pluriel**, on met un ***s*** à la fin du nom singulier.

Exemples

1 **le** chat → **les** chat**s**

2 **une** étoile → **des** étoile**s**

Je m'entraîne

1 Relie chaque déterminant singulier au dessin qui convient.

un •

la •

l' •

2 Relie chaque déterminant pluriel au dessin qui convient.

les •

des •

les •

3 Écris les noms et leurs déterminants au pluriel.

le réveil → ....

le livre → ....

l'écureuil → ....

la table → ....

une perle → ....

l'enfant → ....

un chat → ....

une pierre → ....

Très bien ☐ Assez bien ☐ Pas assez bien ☐

51 Le féminin et le pluriel des adjectifs

J'observe et je retiens

■ En règle générale, pour écrire un **adjectif au féminin**, on met un *e* à la fin de l'adjectif masculin.

Exemples

1 un pull vert

2 **une** chemise vert**e**

■ En règle générale, pour écrire un **adjectif au pluriel**, on met un *s* à la fin de l'adjectif singulier.

Exemples

1 un pull vert

2 **des** pull**s** vert**s**

Je m'entraîne

1 Écris les adjectifs au féminin.

petit → ____________ gris → ____________ salé → ____________

dur → ____________ lourd → ____________ grand → ____________

2 Écris au féminin les adjectifs entre parenthèses.

une voiture (bleu)____________

une porte (fermé)____________

une panthère (noir)____________

une poire (mûr)____________

3 Écris au pluriel les adjectifs soulignés.

un œuf dur – des œufs ____________

un verre plein – des verres ____________

un garçon blond – des garçons ____________

une chaise haute – des chaises ____________

une soupe chaude – des soupes ____________

une pomme rouge – des pommes ____________

Très bien ☐ Assez bien ☐ Pas assez bien ☐

52 Les verbes du 1er groupe

J'observe et je retiens

Aujourd'hui, je **dessine**.	Demain, je **marcherai**.	Hier, je **chantais**.	Hier, j'ai **rêvé**.
▶ C'est le verbe ***dessiner*** au **présent**.	▶ C'est le verbe ***marcher*** au **futur**.	▶ C'est le verbe ***chanter*** à l'**imparfait**.	▶ C'est le verbe ***rêver*** au **passé composé**. Il est composé de 2 mots.

Je m'entraîne

1 Lis à haute voix les conjugaisons du verbe *parler*.

Présent	Futur	Imparfait	Passé composé
Je **parl**e	Je **parl**erai	Je **parl**ais	J'ai **parl**é
Tu **parl**es	Tu **parl**eras	Tu **parl**ais	Tu as **parl**é
Il **parl**e	Elle **parl**era	Il **parl**ait	Elle a **parl**é
Nous **parl**ons	Nous **parl**erons	Nous **parl**ions	Nous avons **parl**é
Vous **parl**ez	Vous **parl**erez	Vous **parl**iez	Vous avez **parl**é
Ils **parl**ent	Elles **parl**eront	Ils **parl**aient	Elles ont **parl**é

2 Sur le modèle du verbe *parler*, complète le verbe *regarder* au présent.

Je regard____ Tu regard____ Elle regard____

Nous regard____ Vous regard____ Ils regard____

3 Sur le modèle du verbe *parler*, complète le verbe *danser* au futur.

Je dans____ Tu dans____ Il dans____

Nous dans____ Vous dans____ Elles dans____

4 Sur le modèle du verbe *parler*, complète le verbe *couper* à l'imparfait.

Je coup____ Tu coup____ Elle coup____

Nous coup____ Vous coup____ Ils coup____

5 Complète le verbe *rêver* au *passé composé*.

J'____ rêvé Tu ____ rêvé Elle ____ rêvé

Nous ____ rêvé Vous ____ rêvé Elles ____ rêvé

Très bien ☐ Assez bien ☐ Pas assez bien ☐

53 Le verbe *avoir*

J'observe et je retiens

Maintenant, j'ai froid.	Demain, j'**aurai** 7 ans.	Hier, j'**avais** peur.	Hier, j'**ai eu** peur.
► C'est le verbe ***avoir*** au **présent.**	► C'est le verbe ***avoir*** au **futur.**	► C'est le verbe ***avoir*** à l'**imparfait.**	► C'est le verbe ***avoir*** au **passé composé.** Il est formé de 2 mots.

Je m'entraîne

1 Lis à haute voix les conjugaisons du verbe *avoir*.

Présent	Futur	Imparfait	Passé composé
J'**ai**	J'**aurai**	J'**avais**	J'**ai eu**
Tu **as**	Tu **auras**	Tu **avais**	Tu **as eu**
Il, elle **a**	Il, elle **aura**	Il, elle **avait**	Il, elle **a eu**
Nous **avons**	Nous **aurons**	Nous **avions**	Nous **avons eu**
Vous **avez**	Vous **aurez**	Vous **aviez**	Vous **avez eu**
Ils, elles **ont**	Ils, elles **auront**	Ils, elles **avaient**	Ils, elles **ont eu**

2 Complète avec le verbe *avoir* au présent.

Aujourd'hui,
elle ________ mal aux dents.
tu ________ un beau pull.
ils ________ un petit frère.
vous ________ froid.
j' ________ un chien.
nous ________ très froid.

3 Complète avec le verbe *avoir* au futur.

1. Dans un an, elle ________ un vélo neuf. – **2.** Demain, les élèves ________ un nouveau maître. – **3.** Bientôt, j' ________ un cadeau de ma sœur. – **4.** Le mois prochain, nous ________ un grand lit. – **5.** Dans le futur, tu ________ une voiture. – **6.** Plus tard, vous ________ des enfants.

4 Complète avec le verbe *avoir* à l'imparfait.

1. Tu ________ chaud. **2.** Elle ________ chaud. **3.** J' ________ chaud.
4. Ils ________ chaud. **5.** Vous ________ chaud. **6.** Nous ________ chaud.

5 Complète avec le verbe *avoir* au passé composé.

1. Il ________ eu soif. **2.** Vous avez ________ soif. **3.** J' ________ soif.

Très bien ☐ Assez bien ☐ Pas assez bien ☐

54 Le verbe *être*

J'observe et je retiens

Maintenant, je **suis** à l'école.
▶ C'est le verbe *être* au **présent**.

Demain, je **serai** en vacances.
▶ C'est le verbe *être* au **futur**.

Hier, j'**étais** à la maison.
▶ C'est le verbe *être* à l'**imparfait**.

Hier, j'**ai été** malade.
▶ C'est le verbe *être* au **passé composé**. Il est composé de 2 mots.

Je m'entraîne

1 Lis à haute voix les conjugaisons du verbe *être*.

Présent	Futur	Imparfait	Passé composé
Je **suis**	Je **serai**	J'**étais**	J'**ai été**
Tu **es**	Tu **seras**	Tu **étais**	Tu **as été**
Il, elle **est**	Il, elle **sera**	Il, elle **était**	Il, elle **a été**
Nous **sommes**	Nous **serons**	Nous **étions**	Nous **avons été**
Vous **êtes**	Vous **serez**	Vous **étiez**	Vous **avez été**
Ils, elles **sont**	Ils, elles **seront**	Ils, elles **étaient**	Ils, elles **ont été**

2 Complète avec le verbe *être* au présent.

Aujourd'hui,
tu ________ en Espagne.
le chat ________ sur le canapé.
nous ________ à la piscine.
je ________ dans ma chambre.
les trains ________ en retard.
vous ________ dans la cour.

3 Complète avec le verbe *être* au futur.

1. Dans un an, elle ________ au collège. – **2.** Bientôt, tu ________ à l'école avec ta sœur. – **3.** Dans un mois, les footballeurs ________ au repos. – **4.** Demain, vous ________ au bord de la mer. – **5.** Dans le futur, je ________ pilote de course. – **6.** Dans deux jours, nous ________ à Nice.

4 Complète avec le verbe *être* à l'imparfait.

1. Tu ________ à Paris. **2.** Elles ________ à Paris. **3.** J' ________ à Paris.

5 Complète pour former le verbe *être* au passé composé.

1. Il a ________ sage. **2.** J' ________ été sage. **3.** Tu ________ été sage.
4. Vous avez ________ sages. **5.** Les enfants ________ sages.

Très bien ☐ Assez bien ☐ Pas assez bien ☐

55 Le présent des verbes *faire*, *aller*, *dire* et *venir*

J'observe et je retiens

Maintenant, nous **faisons** du sport. ▶ C'est le verbe ***faire*** au **présent**.
tu **vas** au stade. ▶ C'est le verbe ***aller*** au **présent**.
elles **disent** « bonjour ». ▶ C'est le verbe ***dire*** au **présent**.
je **viens** ici tous les jours. ▶ C'est le verbe ***venir*** au **présent**.

Je m'entraîne

1 Lis à haute voix les conjugaisons de ces verbes au *présent*.

Faire	Aller	Dire	Venir
Je **fais**	Je **vais**	Je **dis**	Je **viens**
Tu **fais**	Tu **vas**	Tu **dis**	Tu **viens**
Il, elle **fait**	Il, elle **va**	Il, elle **dit**	Il, elle **vient**
Nous **faisons**	Nous **allons**	Nous **disons**	Nous **venons**
Vous **faites**	Vous **allez**	Vous **dites**	Vous **venez**
Ils, elles **font**	Ils, elles **vont**	Ils, elles **disent**	Ils, elles **viennent**

2 Complète avec le verbe *faire* au présent.

1. Nous ______________ la cuisine.
2. Je ______________ ma toilette.
3. Elles ______________ du vélo.
4. Tu ______________ tes devoirs.
5. Il ______________ un gâteau.
6. Vous ______________ de la marche.

3 Complète avec le verbe *aller* au présent.

1. Le chien ______________ dans sa niche.
2. Vous ______________ déjeuner.
3. Je ______________ au marché.
4. Nous ______________ chez le coiffeur.
5. Les filles ______________ au gymnase.
6. Tu ______________ dans ta chambre.

4 Complète avec le verbe *dire* au présent.

1. Tu ______________ des bêtises. **2.** Elle ______________ « au revoir ». **3.** Nous ______________ « merci ».
4. Vous ______________ « à bientôt ». **5.** Ils ______________ la vérité. **6.** Je ______________ un secret.

5 Complète avec le verbe *venir* au présent.

1. Ils ______________ d'arriver. **2.** Je ______________ me lever. **3.** Vous ______________ à pied.
4. Tu ______________ de partir. **5.** Elle ______________ de manger. **6.** Nous ______________ te voir.

As-tu réussi tes exercices ?

Très bien ☐ **Assez bien** ☐ **Pas assez bien** ☐

56 Le présent des verbes *pouvoir*, *voir*, *vouloir* et *prendre*

J'observe et je retiens

Maintenant,	je **peux** jouer.	▶ C'est le verbe ***pouvoir*** au **présent**.
	vous **voyez** une étoile.	▶ C'est le verbe ***voir*** au **présent**.
	nous **voulons** rentrer.	▶ C'est le verbe ***vouloir*** au **présent**.
	tu **prends** le bus.	▶ C'est le verbe ***prendre*** au **présent**.

Je m'entraîne

1 Lis à haute voix les conjugaisons de ces verbes au *présent*.

Pouvoir	Voir	Vouloir	Prendre
Je **peux**	Je **vois**	Je **veux**	Je **prends**
Tu **peux**	Tu **vois**	Tu **veux**	Tu **prends**
Il, elle **peut**	Il, elle **voit**	Il, elle **veut**	Il, elle **prend**
Nous **pouvons**	Nous **voyons**	Nous **voulons**	Nous **prenons**
Vous **pouvez**	Vous **voyez**	Vous **voulez**	Vous **prenez**
Ils, elles **peuvent**	Ils, elles **voient**	Ils, elles **veulent**	Ils, elles **prennent**

2 Complète avec le verbe *pouvoir* au présent.

1. Il .... courir très vite.
2. Nous .... ranger les livres.
3. Elles .... manger une glace.
4. Je .... faire mon lit.
5. Vous .... jouer sur la plage.
6. Tu .... apprendre ta poésie.

3 Complète avec le verbe *voir* au présent.

1. Tu .... ton oncle.
2. Nous .... la course.
3. Les filles .... un spectacle.
4. Il .... un vol de cigognes.
5. Vous .... vos amis.
6. Je .... la mer.

4 Complète avec le verbe *vouloir* au présent.

1. Elles .... voir le match. 2. Elle .... faire du vélo. 3. Nous .... aller à Paris.
4. Je .... rentrer. 5. Vous .... partir. 6. Tu .... manger.

5 Complète avec le verbe *prendre* au présent.

1. Je .... mes livres. 2. Ils .... le train. 3. Vous .... du pain.
4. Tu .... l'avion. 5. Nous .... un dessert. 6. Il .... ses affaires.

Très bien ☐ Assez bien ☐ Pas assez bien ☐

57 Regrouper des mots

J'observe et je retiens

■ Les mots qui ont **un lien entre eux** peuvent être regroupés.

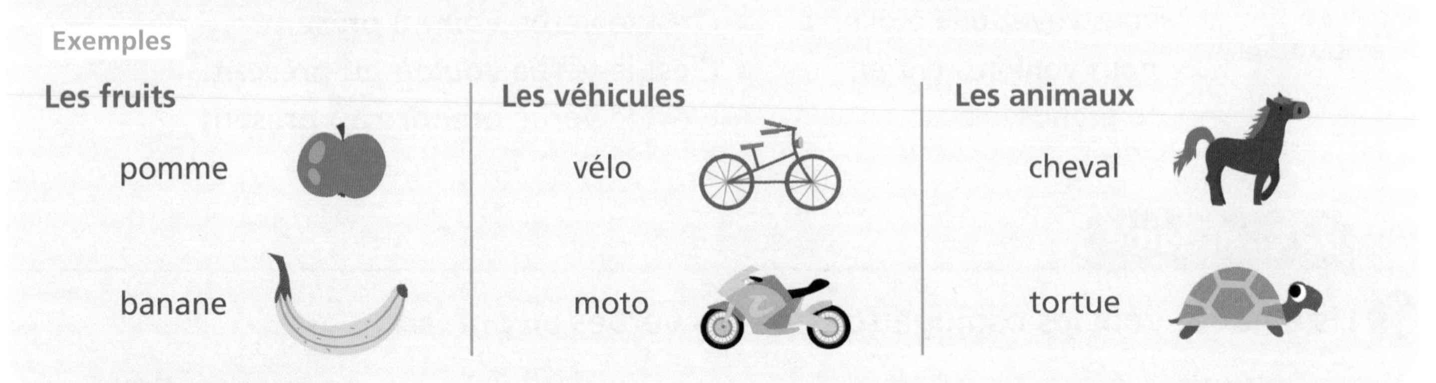

Je m'entraîne

1 Regroupe les mots dans la colonne qui convient.

trottoir – chambre – champignon – cuisine – taxi – buisson – arbitre – ballon – feuille – lit – raquette – carrefour

Mots de la rue	Mots de la maison	Mots du sport	Mots de la forêt
....	....	....	....
....	....	....	....
....	....	....	....

2 Complète par : arbres – meubles – aliments.
Ajoute ensuite, dans chaque case, des mots qui conviennent.

1. Les ....

table – armoire – lit
....
....
....

2. Les ....

pain – jambon – lait
....
....
....

3. Les ....

pommier – cerisier – sapin
....
....
....

Pour l'adulte
Proposez à l'enfant de trouver des noms correspondant à un thème précis (noms de fleurs, noms d'outils, noms de métiers…). Il enrichira ainsi son lexique.

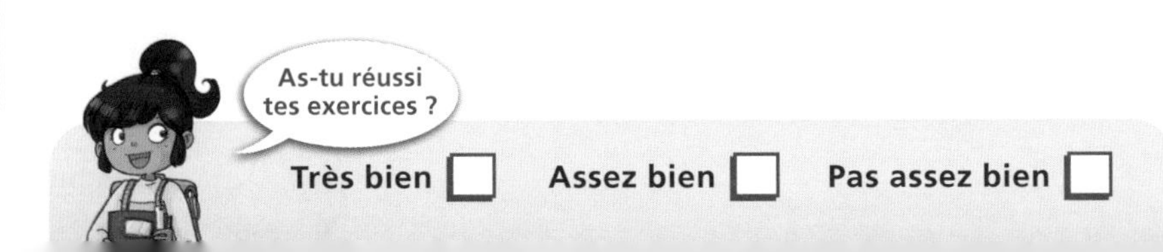

58 Les familles de mots

J'observe et je retiens

un garage – un garagiste

▶ *garage* et *garagiste* sont des mots de la **même famille.**

un jardin – un jardinier

▶ *jardin* et *jardinier* sont des mots de la **même famille.**

Les mots d'une même famille ont toujours une partie commune.

■ On peut fabriquer un mot nouveau à partir d'un autre mot en ajoutant **un suffixe** : ***iste*** et ***ier*** sont des **suffixes.**

Je m'entraîne

1 Relie deux par deux les mots d'une même famille.

dent	•	•	savonnette
épice	•	•	dentiste
livre	•	•	livret
savon	•	•	douzaine
douze	•	•	épicier

2 Retrouve le nom des habitants des pays.

Exemple : *Inde → Indien*

1. Australie : ____________
2. Algérie : ____________
3. Tunisie : ____________
4. Norvège : ____________
5. Autriche : ____________
6. Canada : ____________

3 Observe l'exemple et complète les phrases en fabriquant le mot qui convient.

Exemple : *Une petite **boucle** est une bouclette.*

1. Une petite **fille** est une ____________ .
2. Une petite **affiche** est une ____________ .
3. Une petite **jupe** est une ____________ .
4. Une petite **chemise** est une ____________ .
5. Une petite **vache** est une ____________ .

Très bien ☐ Assez bien ☐ Pas assez bien ☐

59 Transcrire des phrases en écriture cursive

J'observe et je retiens

■ En écriture cursive, il faut **relier les lettres** de chaque mot entre elles en les accrochant.
Il ne faut pas oublier de mettre **la majuscule** en début de phrase et **le point** à la fin.

Exemple L'activité principale d'un chat est de dormir.

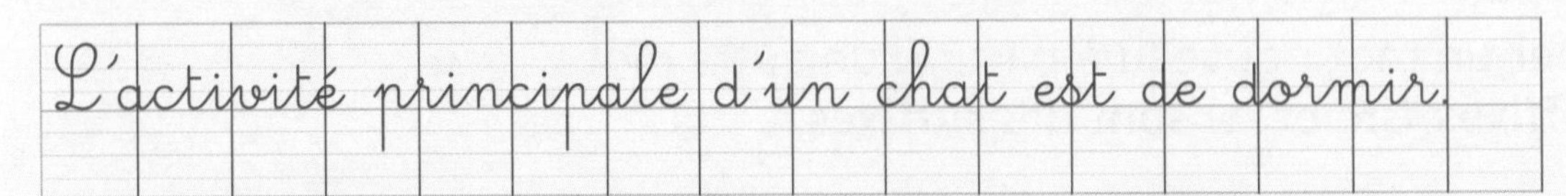

F I J M N P U V

Utilise ces modèles de majuscules pour t'aider à écrire les phrases.

Je m'entraîne

1 Recopie cette phrase en écriture cursive.
Johan et Virginie vivent à Nantes avec leur chat Fripon.

2 Recopie ces phrases en écriture cursive.
Le chat est l'animal de compagnie préféré de l'homme.
Il miaule lorsqu'il a faim ou n'est pas content.

Très bien ☐ Assez bien ☐ Pas assez bien ☐

Voici les étiquettes à découper pour compléter les mots de l'exercice 3 des fiches 3 à 34.
Les numéros à droite correspondent aux numéros des fiches.

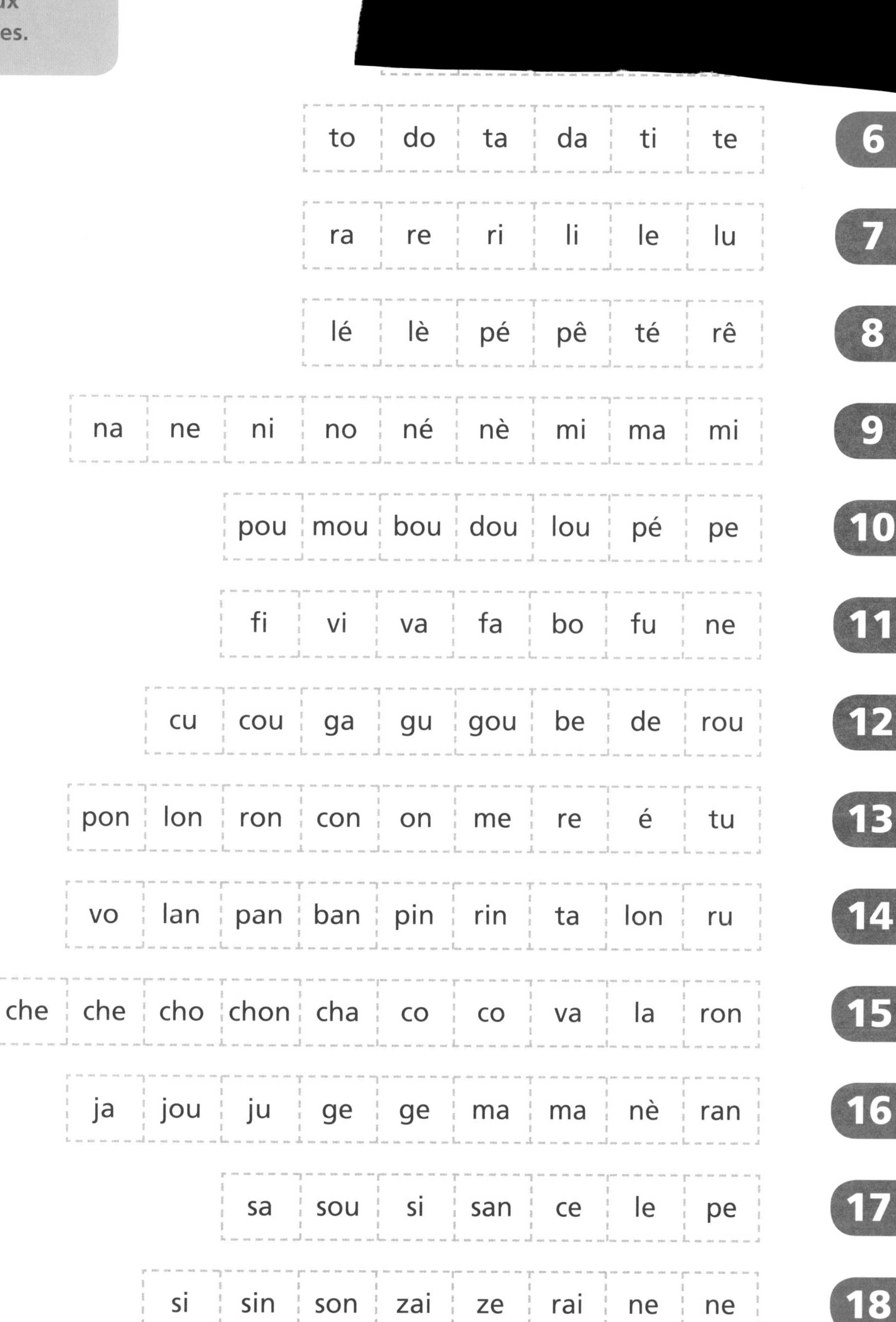

doi	poi	poi	moi	soir	se	re	cha	19
leur	seu	seur	deu	teur	dan	ton	chan	20
	gnoir	gne	gne	gnet	gnet	go	poi	21
in	mi	no	on	an	na	en	ne	22
	ac	ar	our	rou	be	lo	mi	23
es	as	sa	er	ous	ar	la	que	24
cra	car	tar	tri	to	va	cot	tra	25
ien	ien	in	ian	ein	gi	ma	tu	26
ce	che	pru	dai	bra	dro	tre	bran	27
	re	ge	fro	cro	gri	cri	vre	28
			cle	pla	gli	gle	ble	29
			ville	quille	rille	tilles	nille	30
			vette	melles	guette	querre	dresse	31
	oi	te	ca	oin	ion	poi	ion	32
	soi	lo	ne	xan	ex	dex	xy	33
	ra	bi	de	cy	yè	yau	py	34

POUR LE CAHIER :
Illustration de couverture (et pictos enfants) : Cyrielle – **Illustrations intérieures :** Muriel Sevestre
Conception graphique (couverture) : Yannick Le Bourg et Raphaël Hadid – **Mise en pages :** Patrick Leleux PAO

POUR LE MÉMENTO VISUEL DÉTACHABLE :
Illustrations : Muriel Sevestre, Alice De Page (personnages en buste) et Frédéric Bélonie (pages 6-7)
Mise en pages : Eskimo

www.joursoir.fr

N° d'ISSN : 2265-1055

Achevé d'imprimer en mai 2022 par la SEPEC en France
N° éditeur : MAGSI20220164 - Dépôt légal : janvier 2019 - N° d'impression : 09467220450